삐딱선 곡예

삐딱선 곡예

지은이 엔자이어

발 행 2019년 12월 2일
펴낸이 한건희
펴낸곳 주식회사 부크크
출판사등록 2014.07.15.(제2014-16호)
주 소 서울특별시 금천구 가산디지털1로 119 SK트윈타워 A동 305호
전 화 1670-8316
이메일 info@bookk.co.kr

ISBN 979-11-272-9047-4

www.bookk.co.kr

삐딱선 곡예

엔자이어 지음

대한민국 노예들을 향한 독백

CONTENT

프롤로그

제1장 서열, 무엇이 문제인가?

들어가면서

중학교 졸업 이후 지금까지 가급적 말을 아끼며 지내왔다.
대학원 지도교수님께서는 7년 내내 나를 볼 때마다 웃으라고 말씀하셨고,
연구실 후배들은 그런 나를 어려워했다.
직장에서도 거의 웃지 않았다.
이제야 글을 쓴다.
왜 웃을 수 없는지.

P.S.
사실 그때나 지금이나 난 대학원 지도교수님을 존경한다. 나와 이해관계가 얽혔던 수많은 앞선 세대 중 거의 유일하게 나에게 공과 사를 구별해 줄 거란 믿음을 주셨던 분이다. 그 시절 7년 동안, 지도교수와 학생 사이의 사회적 역학관계 속에서 내가 비합리적인 불이익을 받을 거란 생각은 조금도 들지 않았다. 그러한 지도교수님을 만난 건 분명 커다란 행운이었으며, 지금까지도 감사한 마음을 가지고 있다. 시작하기에 앞서 이것은 분명히 하고자 한다.

꼬붕

1. 유래

'부하, 임시로 아들 취급을 받는 사람; 수양아들' 등의 의미로 쓰이는 일본어 꼬붕(子分)에서 온 말

2. 순화어

부하(다른 사람에게 소속되거나 고용되어 그 사람의 명령에 따르는 사람)

a subordinate; a person who is subordinate; a person like a slave

적폐 고백

글쓰기에 앞서, 나 또한 적폐의 일부분이라는 것을 인정한다. 살아오는 동안 수많은 사람들에게 비합리적인 기득권을 행사하며 마음에 상처를 주었고, 앞으로도 완전히 자유로울 수는 없을 거라 생각한다. 반성하는 마음으로 글을 쓴다. 나로 인해 상처 받았던, 그리고 앞으로 받게 될지 모르는 내 인생의 모든 사람들에게 미리 용서를 구한다.

한국의 서열 문화를 비판하는 글을 쓰고 있지만, 나조차도 여기서 자유로울 수 없다는 것을 잘 안다. 나 또한 누군가의 꼬붕 노릇을 해왔고, 동시에 누군가로부터 서열 대접을 받아 왔으니까... 그런데, 잘못된 건 잘못된 거다. 누군가는 말을 해야 한다. 그것이 얼마나 바보 같은 짓인지.

불편한 진실

직무상의 지시 체계는 존재하지만, 사람 간의 위아래는 존재하지 않는다. 자유와 평등의 가치는 전 세계적으로 그 보편적 가치를 인정받고 있으며, 우리나라에서도 대다수의 사람들은 최소한 개념적으로는 이를 부인하지 않을 것이다. 하지만, 현재 우리나라의 서열문화는 이러한 가치 기준에 정면으로 배치된다.

나는 중소기업의 60대 사장님과 재벌기업의 40대 부회장이 한자리에 앉아 삼겹살을 먹는 경우, 만약 누군가 한 사람이 고기를 구워야 한다면, 중소기업 사장님이 고기를 구울 것이라 생각한다. 적어도 재벌기업의 부회장이 직접 고기를 구워 중소기업 사장님에게 건넬 것이라고는 생각지 않는다. 대한민국에서 서열을 따질 때 나이라는 개념이 굉장히 중요한 것처럼 보이지만, 사실 조금이라도 이해관계를 따져야 하는 상황이 오면 그것이 공적이든 사적이든 나이는 재력이나 권력 앞에 곧바로 무력화 된다. 나이가 지긋한 임원들이 스무 살 넘게 차이 나는 어린 총수에게 90도 폴더 인사를 하거나, 고개를 돌려 술잔을 비우는 장면이 우리나라에선 그리 낯설게 느껴지지 않는다. 장유유서란 개념을 내세워 대중의 호응을 유도하고 있지만, 사실 가진 자들 앞에서 아무런 힘을 쓰지 못하는 나이라는 개념은 그저 허울뿐인 허상에 불과하며, 본질이 아닌 밑밥일 뿐이다.

그럼 다음은, 서열에서 밀리면 고기를 구워야 하는지에 대한 문제가 있다. 사람 사이에 관계를 맺다보면 위에서 언급한 조건들에서뿐만 아니라도 자연스레 아쉬운 쪽이 발생하고, 아쉬운 사람은 한국식 서열 관계에서 밀리게 된다. 그렇다면 서열에서 밀리는 사람은 먼저 인사를 하고, 존칭을 써야하며, 고기를 굽고, 수저를 세팅해야 하는 것인가? 이는 분명 업무와는 상관없는 사람간의 높낮이에 해당되는 부분이다. 물론 훌륭하신 분들께 진심어린 존경의 뜻을 담아 그렇게 행동하는 사람이 있을 수 있고, 회사 내 인사권이 있는 사람에게 잘 보이기 위해 전략적으로 그렇게 행동하는 사람도 있을 수 있다. 하지만, 암묵적으로 또는 공개적으로 예의 없다는 프레임을 뒤집어씌우는 한국 문화의 그릇된 단상 때문에 어쩔 수 없이 그렇게 행동하는 경우도 적지 않을 거라 생각한다. 문제는 그러한 행동들은 옛날 신분제도 하에서나 있을 법한 일이란 점이다. 같은 성인끼리라도 서열이 높은 사람 앞에서는 고개를 돌려 술잔을 비워야 하며, 다리를 꼬고 앉으면 안 된다는 것은 자유와 평등의 가치에 정면으로 위배된다. 그럼에도 불구하고 이러한 행동양식이 지속되는 것은 결국 힘 있는 자들이 그것을 예의라고 주장하고 있으며, 대접 받길 원하고, 공과 사를 구별하지 않는 것을 부끄럽게 생각하지 않기 때문이다.

도대체 예의범절이 뭐가 이리도 복잡한지 모르겠다. 복잡한데다가 왜 그래야하는지도 알 수 없다. 술을 마시면서 왜 고개를 돌리는지, 왜 남의 수저 세팅을 하며 치다꺼리를 해야 하는지 그 이유를

찾을 수 없다. 65세 이상 노인 분들께만 그런 대접을 한다손 치더라도 이해가 될까 말까인데, 27살 앞에서 22살짜리 젊은이가 고개를 돌리며 술을 마시니 이건 뭐라 할 말이 없다. 더욱이 돈과 권력이 있으면 30대 앞에서 60대가 고개를 돌린다고 하니 이걸 어떻게 받아들이란 말인가.

문화와 차별은 다르다. 자유와 평등의 가치를 기준으로 하면 분명 다른 것과 틀린 것이 존재한다. "여성들은 외출 시 무조건 치마를 입어야 한다."는 것이 한 사회의 문화가 될 수 있는가? 선배가 후배에게 라면을 끓여오라고 하거나, 커피 심부름을 시키는 것을 마치 당연하다는 듯 얘기하는 사람이 TV에 등장하곤 한다. 이는 매우 극단적으로 얘기하면 ○상납과 다를 바가 없는 것이다. 자신과 타인이 동등한 인간으로서 관계를 맺는 것이 아니라, 주종관계를 맺어야만 위로 올라갈 수 있다는 무언의 압박을 가하는 것이다. 내 꼬붕 노릇을 해야 다리를 놔주겠다는 마인드는 지극히 야만적인, 수치스러운 짓거리 그 이상도 그 이하도 아니다. 물론 그들은 그것이 당신의 선택이 아니냐고 반문할거다. 우리나라의 정서상, 경우에 따라 일면 수긍이 가는 부분도 있을 수 있겠지만, 결국 어떻게 해석해도 그것은 비신사적인 행위일 뿐이다. 뇌물이나 자신을 향한 굽실거림은 적극적으로 떨쳐 내야 한다.

결국 돈과 권력에 가까운 사람들이 피라미드 위에서 모든 이득을 누리게 된다. 국민 대다수를 차지하는 보통 사람들이 하다못해 나이로라도 서열을 따지면서 자신의 위치에 순응하도록 길들여지면, 어차피 나이는 가장 먼저 힘을 못 쓰게 되어 버리기 때문에 재력과 권력의 최상층에 있는 사람들이 정점에서 모든 것을 쥐락펴락하게 된다. 이해관계가 조금이라도 얽혀 있는 경우, 밥을 먹다가도 벌떡 일어나게끔 훈련된 노예들 입장에서는 서열이 높은 사람들이 잘못을 저지르더라도 비판은커녕 주눅이 들 수밖에 없다.

여럿이 함께 식사를 하는 자리에 누군가 찾아왔을 때, 그 누군가보다 서열이 낮은 사람들이 일제히 자리에서 일어나 고개 숙이는 걸 도대체 어떻게 받아들여야 할지 난 정말 모르겠다. 밥을 먹다말고 왜 일어나야 하는지 말이다.

직장 생활을 하다보면 소통해야 한다는 말을 자주 듣게 된다. 하지만, 뻔뻔한 그들은 알면서도 모르는 척 하는 거다. 모두가 소통을 원하는 데 소통이 되지 않는 것이 결코 아니다. 서열 문화권에서는 소통이 원천적으로 어려울 뿐더러 (예: "김○○ 부장님께서 말씀하시는데 거기다 대고 뭐라고 할 수 있는 사람은 누구 밖에 없습니다."란 말을 하는 판에서 수평적인 소통이 될 리 만무; 단, 서열 높은 사람이 별 생각이 없을 때에는 소통이 되는 것처럼 보일 수도 있음), 한국 내에서의 직·간접적인 경험상 결재권자가 공과 사를 구별해 줄 거라는 믿음이 없기 때문에 (예: 결재권을 이용해 꼬투리를 잡는 등 사람을 불편하게 하거나, 전출을 보낸다고 협박하거나, 합리적인 것처럼 위장해서 도태시킬 것이라는 생각이 듦),

모두들 알아서 기는 문화에 익숙해져 버렸기 때문이다.

소위 말하는 윗선에서 이를 변화시키려고 하지는 않을 거다. 외국에서는 훌륭한 사람이 나와 노예를 해방시켜 주기도 했었는지 모르겠지만, 한국에서는 이를 기대하기 힘들 거라 생각한다. 일단 기득권에 편입되어 이를 누리기 시작하면, 그 달콤함이 너무나 크기 때문이다. 또한, 이미 너무나 많은 사람들이 그러한 문화에 젖어 있으며, 그 형태가 꼬리에 꼬리를 무는 방식으로 얽혀 있는지라 그 실타래를 푸는 것이 좀처럼 쉬워 보이지 않는다. 서열이 한참 낮은 사람이라도 먼저 자신의 꼬붕들을 해방시켜야하기에 주저함이 앞서게 된다.

그럼에도 불구하고 한국의 서열 문화를 차별이라 생각하는 사람들은 적극적으로 거기에서 벗어나고자 노력해야 한다. 물론, 차별을 예의라는 이름으로 둔갑시켜 합리성을 주장하는 사람들에게 싸가지가 없다는 프레임을 덮어씌우려는 자들이 있을 거다. 그들은 한국 문화를 이용할 줄 알며, 이를 즐기는 사람들이다. 논리적인 반박은 그리 어렵지 않겠지만, 정작 중요한 문제는 불이익을 받게 될 수 있다는 것이다. 적극적으로 벗어나야 한다고 말하고 있지만, 사실 해결책이 없는 딜레마에 빠지게 된다. 원인은 현재로선 사람이 너무 많다는 것이다. “너 아니어도 우리 회사에 들어올 사람은 많다.”라는 말이 흔한 요즘 아무리 머리를 굴려도 본인이 속한 제도권 하에서는 좀처럼 해결책이 떠오르지 않는다. 대부분의 사람들이

허탈한 결론이라고 얘기하겠지만, 사실 단 하나의 방법은 회사에서 나오는 것이다.

이제는 개인이 강해져야 할 때다. 프리랜서의 시대가 도래 할 것이며, 집단 체제에서 개인 체제로 서서히 바뀌어갈 것이다. 그러니 힘 있는 자들의 발끝으로 기어 들어가지 말고, 당장 거기서 나오는 것이 낫다. 당신이 가난한 주인 보다 배부른 노예가 낫다는 사람이라면 더 이상 할 말은 없지만, 그렇지 않다면 신중하게 생각해 보아야 한다. 인생은 한번 뿐이다. 물론 현실적인 많은 문제점들이 있겠지만, 세상에는 우리들이 보지 못하는 다양한 길들이 존재한다.

세상은 분명 빠르게 변화하고 있다. 그 변화의 속도는 본인이 주인일 때 온전히 느낄 수 있다. 노예들이 체감하는 세상의 변화는 언제나 느리다.

같은 핏줄 예외

본문에서 다루고 있는 한국의 서열 문화는 원칙적으로 나와 남(혈연관계가 아닌 타인)과의 관계를 전제로 한다. 가족 간의 서열 관계는 또 다른 해석이 필요한 부분이기에 다루지 않는다. 간단히 말해, 같은 핏줄 간의 서열 문제는 본 책에서 언급되는 합리성만으로는 설명하기 어려운 부분이 있다. 관계가 없는 것은 아니지만 어찌됐건 집안 문제는 살생부에서 제외한다.

이 책을 보더니 친 동생이 더 이상 나에게 굽실거리지 않겠다고 했다. 뭐 꼭 그렇다고 해서 위의 내용을 추가한 것은 아니다.

제1장 서열, 무엇이 문제인가?

배꼽인사

인사는 타인과 마주치거나 혹은 헤어질 때 예를 표현하는 가장 기본적인 말과 행동이다. 우리는 어렸을 때부터 인사의 중요성에 대해 귀가 따가울 만큼 들어왔다. 요즘도 주변 곳곳에서는 인사 잘하는 것이 동서고금을 막론한 최고의 미덕이라 강조하는 사람들을 많이 볼 수 있다. 길을 가다보면 어린 아이들이 배꼽인사를 하는 것을 종종 볼 수 있으며, TV에서는 인사 잘하는 연예인 누구라며 예의바른 청년이라 치켜세운다. 생각해보면 우리는 배꼽인사를 통해서부터 머리 숙이는 법을 배웠고, 아무런 의심 없이 그것이 예의, 겸손, 공경을 뜻하는 좋은 것이라 받아들여 왔다.

인사의 순기능을 폄하할 생각은 조금도 없다. 타인에게 호감을 줄 수 있고, 분위기를 밝게 하는 윤활제가 되기도 한다. 사실 단 하나의 역기능을 생각하는 것조차 쉽지 않다. 하지만, 그 의미에 대해선 분명하게 되짚어야 할 필요가 있다고 생각한다.

인사는 반가움을 전달하기 위한 자발적 표현이어야지, 반강제적 또는 서열 확인용 겉치레가 되어서는 안 된다. 한국의 인사 문화에는 몇 가지 특징이 있는데, 대표적으로 1) 친구 간에는 고개를 숙이지 않으며, 2) 서열이 높은 사람과 마주쳤을 때 서열이 낮은 사람이 먼저 고개를 숙인다는 점이다. 이 때 고개를 숙이는 기준은 나이가 아닌 한국식 서열이며, 먼저 인사를 하지 않거나 그냥 지나치는 경우 싸가지 없다는 말을 들을 수도 있다.

"너 왜 나한테 인사 안 해?" 먼저 인사를 하지 않는 것은 개인의 싹수와는 별 관계가 없으며, 오히려 이를 강제하는 것이 비합리적인 처사이다. 누군가가 자신에게 인사를 하는데 매번 고의적으로 모른 척을 했다면 위와 같은 말을 들을 수도 있겠지만, 저런 말을 하는 당사자도 인사를 하지 않았으면서 타인에 대해 왈가왈부하는 것은 온당하지 않다. 인사는 서열 확인용이 아닌, 개인의 자발적이고 선택적인 표현이다. 더구나 같은 성인끼리 인사라는 행위를 두고 누가 먼저냐, 얼마나 허리를 굽이냐 등을 따지는 것은 시답잖은 일이다. 반가움의 표시를 대접의 수단으로까지 확대 해석해서는 안 된다.

사실 말은 이렇게 하고 있지만, 나도 동생들에게 먼저 고개를 숙이는 것이 조금 어색하긴 하다. 그들이 먼저 인사하지 않으면 아주 조금 서운한 감정이 드는 것도 사실이고. 어쨌든 최대한 먼저 인사하려고 노력하는 중이다.

3cm

중학교 때의 일이다. 당시에는 두발 규정이 있어 항상 짧은 머리를 유지해야 했다. 지금 생각하면 학생이라고 해서 왜 머리를 짧게 해야 하는지 당최 이해가 되지 않지만, 여하튼 당시에는 그것이 규정이었고 대부분의 학생들은 이를 따랐다. 문제는 그러한 규정을 지키지 않았을 때 발생하는 일련의 사건들이다. 선생님들은 규정을 위반한 학생들에게 체벌을 가했고, 직접 목격한 것은 아니었지만 가위 또는 이발기 등을 이용해 학생들의 머리카락을 직접 잘라내기도 했다. 나는 그것을 도저히 납득할 수 없었고, 참을 수 없는 비통함과 분노를 느꼈다.

학생들이 죄인인가? 머리카락 길이가 3cm 가 넘으면 혼이 나야 하는 건가? 선생님이라고 해서 남의 머리카락을 마음대로 잘라도 되는 것인가? 물론 지금이야 그럴 리 없겠지만, 당시에는 그랬다. 난 아마 그 때부터 힘이 있는, 기득권을 가진 앞선 세대들을 경계하기 시작했던 것 같다.

3cm. 우리에겐 딱 그 만큼의 자유가 있었다.

중학교 때 나를 많이 아껴주셨던 담임선생님(女)이 계셨는데, 그 선생님께서도 학생들의 머리 검사를 무척이나 깐깐하게 하셨다. 그래서 난 반장이었음에도 불구하고 일 년 내내 선생님을 무뚝뚝하

게 대했다. 아마 선생님께서는 지금까지도 내가 왜 그렇게 뿔이 나 있었는지 모르실거다. 이제는 날 기억하지 못하실 수도 있겠지만, 여하튼 철없던 그 시절을 생각하니 선생님께 많이 죄송할 따름이다.

형 대접

난 현역으로 군대를 다녀온 후 대학원에 입학했기 때문에 학위 과정을 통해 병역특례 복무를 하는 보통의 동기들에 비해선 나이가 서너 살 정도 많았다. 입학 초기에 한 그룹 동기와 얘길 나눌 기회가 있었는데 그 친구도 나보다는 세 살 정도 어렸던 것으로 기억한다. 당시 커다란 책장 앞에 선채로 그 친구가 했던 말을 아직도 잊을 수가 없다.

"형이라고 해서 형 대접 받으려고 하면 안 됩니다. 대접은 자발적으로 이루어져야 합니다." 나에게 불만이 있어 그런 말을 했던 건 아니었지만, 그 말을 듣는 순간 무엇인가가 머리를 후려치는 느낌을 강하게 받았다. 또한, 아무도 부정할 수 없는 '맞는' 말이란 생각도 들었다. 그 날 이후로 어린 친구들에게 책잡히지 않으려면 어떤 식으로든 잘 해야겠다는 생각이 들었고, 박사학위 후 연구실을 떠나는 마지막 날까지 연구실과 실험실 청소만큼은 최선을 다해 열심히 수행했다. 아마 나를 개인적으로 싫어하는 친구들이라도 내가 청소만큼은 정말 열심히 했다는 사실을 부인하지 못할 거다.

당시 청소는 모든 그룹 구성원들에게 부여된 단 하나의 공통된 의무였다. 하지만, 상당수의 구성원들은 열심히 하지 않았던 것으로 기억한다. 청소기를 돌리고 있는 형을 모른 척 하며, 자리를 비우는 동생들도 많았다. 이럴 바엔 차라리 한국식 질서가 나은 것이 아닌가라는 생각도 했었지만, 그때마다 그건 철저히 형들의 입장일 뿐이라고 생각을 고쳤다. 청소를 중요하게 생각하지 않는 구성원이 있다면, 그룹 차원에서 회의를 통해 문제제기를 하고 이를 해결하기 위해 구성원 다수의 의견을 모으는 것이 정당한 수순이기 때문이다. 한국식 서열 문화에 의존하여 문제를 해결하게 되면 또 다른 누군가가 상처를 받게 되고, 합리적인 의사결정 방식에서 점차 멀어지게 된다. 우리에게는 단지 세련된 방식으로 토의 또는 토론하는 자세가 필요했던 것이라 생각한다.

지금 생각하면 당시에 그런 말을 들을 수 있었던 건 정말 커다란 행운이라고 생각한다. 그 친구에게 진심으로 고맙단 말을 전하고 싶다.

대학원을 졸업한지 꽤 오랜 시간이 지났지만, 그 날을 기억하면서 하루에도 몇 번씩 "형이라고 해서 형 대접 받으려고 하면 안 된다."라는 문구를 되새기며 마음을 다잡는다. 정말로 더 이상은 대접 받으려는 마음이 생기지 않길 바란다.

15초간의 정적

대학원에 입학한지 얼마 되지 않았을 때의 일이다. 연구실에서 공부를 하던 중 지도교수님의 전화를 받았는데, 내용인즉슨 연구실 구성원 모두 10분 후에 로비에서 만나 함께 점심식사를 하러 가자는 말씀이셨다. 당시 연구실에는 나를 포함한 석사과정 학생 3명과 인턴과정을 수행중인 학생 1명이 있었다. 그중 인턴과정이었던 학생은 한국과 미국 모두에서 학교를 다녔기에 한국어와 영어 모두에 능통했고, 양국 문화에 익숙했었다. 여하튼 우리는 교수님 말씀대로 로비로 향했고 난 그날의 사건을 아직도 선명하게 기억한다.

우리는 교수님보다 먼저 로비에 도착하기 위해 조금 일찍 연구실을 나섰지만, 모퉁이를 도는 순간 저만치에 서계신 교수님을 발견할 수 있었다. 그것을 본 나와 나머지 석사과정 학생들은 즉시 뛰기 시작했고 금세 교수님 앞에 도착할 수 있었지만, 인턴과정이었던 학생은 원래 걸음걸이 그대로를 유지했기 때문에 한 참 후에야 우리 곁에 도착했다. 교수님께서 기다리시는 것을 볼 수 없어 뛴 것이었는데, 결국엔 교수님을 포함한 석사과정 학생 3명이 그 인턴과정 학생을 기다린 꼴이 되어 버렸다. 그 학생이 걷는 동안, 대략 15초쯤 스산한 정적이 흘렀던 것으로 기억한다.

아직도 그 어색한 순간이 생생하게 떠오른다. 이젠 지워질 때도 됐

는데.

다행스럽게도 교수님께서는 그 인턴 학생에게 아무런 말씀도 하지 않으셨다. 사실 그 당시에는 마음속으로 '저 친구 너무 눈치 없는 것이 아닌가...' 라는 생각을 했었는데, 지금은 오히려 약속 시간을 어긴 것도 아닌데 굳이 불편해하며 뜀박질을 했던 석사과정 학생들이 이상하게 느껴진다. 무엇이 그 순간 우리들을 뛰게 만든 것인지 미국이나 유럽 학생들은 결코 이해할 수 없을 것이다.

사실 지금 생각하면 그 인턴과정 학생도 많이 불편했을 것 같다. 그 원인이 문화적 차이였던, 아니면 다른 무엇이었던 간에. 혹시 연구실 생활을 하면서 나로 인해 불편했던, 그리고 속이 상했던 순간들이 있었다면 진심으로 사과하고 싶다.

권위적인 교수들

어느 노(老) 교수님의 수업시간에 한 학생이 질문을 했다. 질문이 무엇이었는지는 정확히 기억할 수 없지만, 교수님의 답변은 잊을 수가 없다. "수업이 끝난 후 집에 돌아가 30분 이상 생각해보고, 그래도 모르겠으면 다음 시간에 질문해라." 정황상 교수님께서 그 질문에 대한 답을 모르셨던 것은 아니라고 생각한다. 아마 수업 진행에 방해가 된다고 여기셨거나, 질문이 귀찮으셨던 것으로 추측한다. 여하튼 그 사건 이후로 학기가 끝날 때까지 해당 교수님의 수업시간에는 단 한 명의 학생도 질문을 하지 않았다.

교수와 학생 사이에 거리감이 있을 수는 있다. 하지만, 질문을 해야 하는 학생의 입장에서 권위적인 교수는 별로 도움이 되지 않는다. 배움은 선생님과 학생 간에 원활한 피드백 과정을 통해 이루어지며, 이는 졸업 후 사회 각 분야에서 정제된 의견 교환을 하기 위해 반드시 거쳐야 하는 통과의례이기도 하다. 때문에, 질문을 하는 통로가 원천적으로 봉쇄되면 제대로 배울 수 없을 뿐만 아니라 세련된 토의 및 토론을 하기 위한 기본적인 소양을 갖추기도 어렵게 된다.

학생들과의 소통이란 측면에서 남달리 노력하셨던 분들도 있었지만, 내가 성인이 된 이후 수업을 통해 만났던 여러 교수님들은 늘 권위적인 스탠스를 유지했다. 설령 질문을 독려하는 경우라 해도 학생들 입장에선 교수님이 답변을 하는 과정에서 자신들을 끝까지 존중해줄 것이라 믿기 힘든 경우가 많았다. 그래서인지 교수님의 기세 또는 주변 분위기에 눌려 입을 다문 채 시간을 보내는 경우가 대부분이었다. 안타까운 일이지만, 정말 마음 편하게 질문할 수 있었던 적이 있긴 있었나 싶다. 아무도 보지 않는 것처럼 춤을 추듯, 그렇게 질문할 수 있어야 한다.

물론 교수들만의 잘못은 아니다. 여러 복합적인 원인 때문이다. 그렇지만, 원활한 소통의 장이 될 수 있도록 분위기를 조성하지 못한 건 분명 교수의 책임이 크다. 학생에게 본질적인 책임을 물을 수는 없다.

힘없는 학생

박사과정 때 미국에서 개최되는 학회에 간 적이 있다. 지도교수님과 나를 포함한 학생 몇 명이 참석했었는데, 학회 기간 동안 한국에서 온 다른 연구팀의 교수님들을 많이 만날 수 있었다. 지도교수님께서는 한국에서 오신 교수님들을 만날 때마다 우리들을 본인의 지도학생이라 소개해주셨고, 우리는 그분들에게 깍듯하게 인사를 했다.

그 중 혼자 학회에 오신 어느 교수님이 있었는데, 우리 지도교수님과 인사를 나누시고는 조금 후에 나를 따로 부르셨다. 그러더니 다짜고짜 반말을 하면서 ○○장소에 찾아가서 자신의 연구발표용 포스터를 대신 부착시키라고 말씀하셨다. 보통 포스터는 본인의 연구내용 및 결과를 커다란 용지 한 장에 인쇄해서 만드는데 그 분께서는 A4 용지에 내용을 나누어 인쇄해 오셨기에 스물다섯 장 정도를 일일이 순서에 맞게 부착시켜야 했다. 거두절미하고 본질을 얘기하면, 그 교수님께서는 생전 처음 보는 나에게 하대를 하셨고, 본인이 해야 할 일을 아무렇지 않게 나에게 떠넘기셨다. 더욱이 그것은 명백하게 부탁이 아닌 지시였다.

포스터의 오와 열을 맞춰가며 비뚤어지지 않게 부착시키느라 정말 힘들었다. 그런데 심부름을 완료한 후 "수고했다."란 말 한마디조차도 듣지 못했던 것 같다.

이러한 일이 발생하는 메커니즘은 매우 단순하다. 심부름을 시킨 그 교수님과 우리 지도교수님이 인사를 나누던 순간 새로운 역학 관계가 형성되고, 그 교수님께서는 그 안에서의 우월적 지위를 남용하신 거다. 여기서 중요한 점은 해외에서 처음 만난 타 대학교의 교수님이 그렇게 불합리한 요구를 하더라도 학생들로서는 "No"라고 말하기가 쉽지 않다는 것이다. 이러한 사정을 고려해 보면, 대학(원)생들이 얼마나 힘없는 약자의 입장인지 충분히 짐작할 수 있다.

레퍼런스 체크

박사급 연구원이 새로 입사를 하거나 다른 곳으로 이직을 할 때 고용을 하는 직장 측에서는 해당 연구원을 대상으로 레퍼런스 체크를 하는 경우가 많다. 레퍼런스 체크란 간단히 말해 주변 사람들을 통해 지원자의 평판을 알아보는 것이다. 지원자가 현재 몸담고 있거나 혹은 그 이전에 속해 있던 조직의 구성원들에게 유·무선 연락을 취해 몇 가지 질문에 답변을 구하는 형태로 진행되는데 여기에 적지 않은 문제점이 있다.

레퍼런스 체크의 효용성 자체를 부인하는 것은 아니지만, 한국의 속사정을 고려하면 그리 내실 있는 방법은 아니라고 생각한다. 지원자보다 서열 관계에서 우위에 있는 사람에게 질문을 하는 경우, 지원자의 됨됨이를 한국식 서열 문화에 기반 하여 판단할 가능성이 높기 때문이다. 일단 자신을 얼마나 대접해 주었는지, 얼마나 서열 문화에 충실하게 조직 생활을 했는지를 통해 누군가의 이미지를 떠올리고 나면, 더욱이 그 결과가 부정적이라면, 사실상 그 사람의 대인관계 또는 업무 능력 등을 올곧게 판단하기 힘들게 된다.

그래도 굳이 해야겠다면, 한국식 서열 관계에서 지원자와 동급 혹은 그 이하의 사람들에게 묻는 것이 보다 객관적인 답변을 얻는데 도움이 될 것이라 생각한다. 적어도 그들은 자신의 이익 또는 비합리적인 기득권에 부합하는 기준을 잣대로 사람을 평가하지는 않을 것이기 때문이다. 물론 애초에 한국식 서열 관계에 충실한 사람을 원하는 경우, 평판 조회는 단지 사전 필터링 작업을 위한 허울일 뿐일 테니 더 이상 합리성을 논하는 것은 무의미하다.

개인적으로 레퍼런스 체크에 별 의미를 두지 않는다. 두 군데 이상의 장소에서 총 다섯 명 이상을 대상으로 한 응답이 모두 일치한다면 어느 정도 신뢰를 할 수 있겠지만, 그 전까진 특별한 의미를 두지 않는 것이 낫다고 생각한다.

마음 편지 1

학창시절 내내 교실 창가 뒤편에 앉아 조용히 지냈던 것 같다. 운동 할 때를 제외하고는 있는 듯 없는 듯. 어쩌면 친구들은 날 가까이 할 수 없는 부류로 여겼을지도 모르겠다. 중·고등학교란 제도권에 들어가 한국식 서열 문화를 갓 경험하기 시작하면서부터, 그리고 세상엔 나쁜 사람도 많다는 것을 알기 시작하면서부터, 침묵하는 것이 불필요한 마찰을 줄일 수 있는 최선의 방법이라 생각했던 것 같다. 그것이 좋은 사람들과의 관계 또한 어렵게 만들었다는 것을 인정해야 하지만, 아마 다시 돌아가더라도 비슷한 선택을 하지 않을까 싶다. 한 가지 달라진 점이 있다면, 지금은 그 나쁜 사람들 중 한 사람이 나일 수도 있다는 생각을 한다는 것이다.

중략...

마음 편지 2

앞선 세대들은 비열하고, 후세대들은 비겁하다. 앞선 세대들은 비합리적인 기득권을 유지하기 위해 비열한 행동을 서슴지 않으며, 우리나라 특유의 서열 문화, 꼬붕 문화, 따까리 문화를 최대한 이용한다. 나이가 들어감에 따라 일은 덜하고 돈은 더 받아야겠으니 결재권을 남용해서 어떻게든 후세대들이 알아서 몸을 낮추도록 무언의 압박을 가한다. 정의를 외치는 젊은이는 조직에 부합하지 않는 싸가지 없는 놈이 되고, 그들만의 리그는 더욱더 공고해 진다. 앞선 세대들이 공과 사를 구별해 줄 거란 믿음이 없을 뿐더러 저항하는 법을 제대로 배워본 적도 없고, 또한 매일같이 보고 듣는 것이 강자에게 굽실거리는 행태이다 보니 후세대들은 모난 돌이 되지 않기 위해 몸을 사린다.

비합리적인 기득권이 워낙 달콤하다 보니 꽤나 정의로웠던 사람들조차 그 자리에 올라서게 되면 변화를 외치기 힘이 든다. 받은 만큼 일하고, 일한 만큼 받겠다는 프로다움은 사라지고 서서히 후세대들을 착취하는 시스템에 길들여지게 된다. 후세대들이 자신을 어려워하고, 뭔가를 갖다 바치며 대접해주니 어떻게 이를 거부할 수 있겠는가? 그들은 늘 팀플레이를 강조한다. 팀으로 일하면 일할수록 본인이 편해진다. 꼬붕 문화에 기반한 세대별 밀어내기는 단순 순번 대접을 넘어 연봉에 걸 맞는 역할 분배를 어렵게 만드는 주된 원인이 된다. 기본적인 짬밥 대우를 인정한다손 치더라도 프로

다움이 훼손되는 정도가 지나치다.

소통. 조직 생활을 하면 가장 많이 듣게 되는 말 중 하나이다. 그런데, 이는 안 되는 것이 너무나 당연하다. 다들 모른 척 하고 있는 것일 뿐. 친한 친구 간에도 말이 안 통해서 못해 먹겠다는 말을 하곤 하는데 상대방이 나보다 위란 생각을 하면서 어떻게 소통을 하겠는가? 더군다나 위에 있는 사람들이 공과 사를 구별해 주지도 않는데 말이다. 회의나 미팅을 하더라도 결국 자신이 아래군번이라 생각하는 사람들은 "네, 뭐 그렇게 하시죠." 이렇게 말하고 돌아서는 경우가 많다. 위에 있는 사람들은 본인이 논리적으로 상대방을 설득했다고 믿고 싶겠지만, 그건 아랫사람이 그냥 접어 준 거다. 결국 소통도 되지 않고 프로다움도 존재하지 않는다.

앞선 세대 잘못이 아니다. 나이가 들고 약해지면 프로다움이고 뭐고 간에 편해지길 원하는 것이 당연지사. 정의롭진 않지만 어쩔 수 없는 현실이다. 가만두면 정의로움에서 멀어지는 것이 마치 엔트로피의 법칙과도 같다. 편해지기 위해 뻔뻔함을 택하는 것이 법을 어기는 것만 아니라면 사실 서로 다른 양심을 갖는 타인에게 뭐라 호소할 수도 없다. 그저 본인의 방식대로 정글을 살아가는 것일 뿐. 정의로움이란 너무나 순진한 말일지 모른다. 비열하고 비겁하게 세상을 살아갈 수도 있는 거고, 나름 정의롭게 살아갈 수도 있는 거고, 아니면 적당히 좀 들이받으면서 버틸 수도 있는 거고... 어떻게든 살아가면서 세상을 구성하고 있으면, 그걸로 족한 것이 아닌가 싶다.

"우리나라에선 정의를 외치는 순간 따 된다." 어느 스타 강사의 말이다. 정의를 바라는 사람들조차 문제에 직접 관여되는 것은 원하지 않는다. 김○○이나 주○○ 같은 사람들이 기득권층에 맞서 싸워주길 바라지만, 본인이 위험을 감수하는 것은 싫고, 또한 아이러니하게도 본인 보다 후세대들이 같은 조직 내에서 앞선 세대들을 향해 정의를 부르짖는 것은 그다지 달갑지 않다.

그 동안 이런 문제로 이런 저런 생각을 좀 했었는데, 거스를 수 있는 문제가 아니란 걸 알았다. 허물이 넘쳐나는 내가 이런 생각을 하는 것도 말이 안 되는 것 같고. 적절한 비유는 아니지만, 사자가 얼룩말을 잡아먹고, 하이에나가 기회를 엿 보는 것을 두고 이러쿵 저러쿵 했던 것은 아닌가 싶기도 하다.

이제는 상념을 버리고 케이지 밖으로 나와 적절히 변화하며 살아갈 거다. 아무래도 상처를 많이 받을 것 같고, 또 그 만큼의 상처를 세상에 줄 것 같지만. 적당히 길거리 파이팅을 하는 것도 그리 나쁠 것 같진 않다. 더 이상 정의로움에 구애 받을 생각 없으며, 때론 미련 없이 돌아설 것이다. 아마 세상을 대하는 방식이 지금과는 많이 달라질 것 같다. 그냥 그렇게 살다가 가고자 한다.

중략...

수법

그들의 수법은 참으로 다양하다. “왜죠?” 라고 물으면 “왜 그런 질문을 하냐?” 란 말을 하거나, 슬쩍 인상을 구겨 심기가 불편하단 티를 낸다. 그러면 자연스럽게 대화가 종료되고, 그들은 원하는 바를 얻는다. 수법은 다양하지만 본질은 같다.

결국 그들이 원하는 건 그들이 원하는 말만 하라는 거다. 다시 말해, 머릿수를 채우기 위에 존재하는 힘없는 떨거지들은 그냥 조용히 있으란 얘기다. 그게 어떤 자리든 간에 서열이 낮은 사람들에게 요구되는 건 명분을 위한 ‘출석 체크’ 단 하나다.

모욕 면접

압박 면접에서는 지원자를 당황하게 만든 후 어떻게 대응하는지를 관찰한다. 이를 통해 돌발 상황에 대처하는 지원자의 자질, 즉 순발력, 창의성, 재치, 위기대처능력 등을 정성적으로 평가한다. 이러한 압박 면접의 기본 취지를 통째로 부정하는 것은 아니지만, 면접관의 부주의로 인해 때론 심각한 인권침해를 초래하기도 한다.

면접관의 부주의로 표현하긴 했지만, 다분히 의도적인 '모욕 면접' 일 가능성도 배제할 수 없다. 성차별, 인격모독, 학벌무시, 외모비하 등의 발언이나 지나치게 고압적인 면접관의 태도는 면접관의 수준 미달을 그 원인으로 생각할 수도 있겠지만, 다른 한편으로는 잠재적 서열 관계의 충성도를 평가하기 위한 지능적인 수법일 수도 있다.

인터넷에 떠도는 수많은 압박 면접의 대처 요령들을 살펴보면 대게 당황하거나 쉽게 흥분하지 말고, 여유를 잃지 않으며, 끝까지 인내하라고 나온다. 그런데 만약 수위를 넘어 모욕 면접이 되어버리는 경우 어떻게 대처해야 할지 정말 난감하다. 자리를 박차고 일어나야 할지, 아니면 약자의 운명을 받아들이며 또다시 참아야 하는 건지.

개인적으로 '이건 확실하게 선을 넘는 행위다.'란 생각이 들면 면

접관에게 정식으로 사과를 요구할 것 같다. 입사는 당연히 포기한다. 그런 회사에 들어갈 필요 없으니.

한국에 살면서 "적을 만들지 말라.", "웬만하면 참아라.", 또는 "아무런 대응하지 말라." 란 말들을 수없이 많이 들어왔다. 도대체 누굴 위해 그렇게 하란 말인가? 부당한 대우를 받았을 때 이를 참고 넘기면 본인에게 이롭거나, 사회 정의 구현에 확실히 도움이 되는 것인가? 인격적으로 부당한 대우를 받더라도 참아 내는 것이 정말 최선의 선택이 되는 그런 나라에 살고 있는 것인가? 이는 비단 회사 면접에만 국한되는 얘기가 아니다.

미국이나 유럽에서도 자신의 말을 잘 따르는, 가령 인격적으로 모독을 하거나 물리력을 행사하더라도 불만 없이 순종하는 사람을 좋아할 거다. 게다가 그 사람이 빠릿빠릿하게 잘만 움직인다면 부하직원으로서는 더할 나위 없을 것이다. 그런데 그 나라의 사람(피고용인)들은 상사(고용인)의 마음에 들고자 그렇게 행동하지 않는다. 자신을 포함한 누군가에게 인격적인 모독이나 폭력이 가해질 경우 고소, 고발 등을 통해 즉각적으로 대응한다. 학교나 사회로부터 그렇게 교육을 받아 왔고 또한 본인이 생각하기에도 그것이 옳다고 믿기 때문이다.

우리나라에선 학교나 사회에서 사람들을 어떻게 가르치고 있는지 뒤돌아 봐야 한다. 그리고 난 후 '악(부정의)'의 전파를 막고, 개인과 사회에 모두 보탬이 될 수 있는 그런 선택을 권유해야 한다.

신입직원 나이

한국에서는 신입직원의 나이가 중요하다. 나이 차별을 해서는 안 되기에 드러내놓고 이유를 말하고 있지는 않지만, 사실 조직 생활을 하는 사람이라면 누구나 알고 있을 거다. 신입직원은 보통 막내라 불리게 되는데, 기존 구성원들과의 서열 정리에 문제가 발생하지 않도록 나이가 어린 사람이 보다 선호된다. 그래야 나이와 직위 사이에 충돌이 발생하는 것을 사전에 막을 수 있고, 그동안 고생한 기존 막내에게도 보상이 되기 때문이다. 물론 나이에 관계없이 실력 위주의 선발이 필요한, 그리고 실제 이렇게 실행하는 직군도 몇몇 있겠지만, 한국식 서열 정리란 관점에서 완전히 자유롭기란 어렵다.

이처럼 취직에 있어 나이가 중요한 요인으로 자리 잡게 되면, 취직뿐만 아니라 이직도 어렵게 된다. 나이가 일정 수준 이상 넘어가면 어딜 가든 기존 서열 관계에 불편한 영향을 줄 수 있기 때문에 경력자를 받는 입장에선 고려해야할 것 들이 적잖게 발생한다. 결국 때를 놓치면 신규 진입도, 이직도 어렵게 되는 상황이 발생하여 모두가 직·간접적으로 불편해 진다.

가뜩이나 좁은 땅덩어리에 일자리도 넉넉지 않은데 입사나 이직시에 나이라는 구속조건까지 부가되니 구직자로선 정말 답을 찾기가 어려운 상황이다. 왜 이러고들 사는가?

신입사원 이미지

우리나라 사람들에게 신입사원의 이미지를 떠올려보라고 하면 아마 대부분 비슷한 생각을 하지 않을까 싶다. 단정하게 빗어 넘긴 머리카락에 말끔한 옷차림을 한 20대 후반의 남성 또는 여성이 연거푸 폴더 인사를 하며 "안녕하십니까? 신입사원 ○○○입니다."를 외치고, 상사의 부름에 이리저리 뛰어다니는 모습이 가장 먼저 떠오를 것이다. 그런데 언제부턴가 이러한 신입사원의 모습이 영화 속 노예의 모습과 중첩되면서 이상하게 느껴지기 시작했다.

누구에게나 인생은 실전이기에, 간이고 쓸개고 빼내어 줄 각오로 일해야 먹고 살 수 있다지만, 이건 너무나 대놓고 노예 또는 부하의 모습이란 생각이 들었다. 물론 미국, 유럽과 같은 선진국에서도 자본 소유의 불평등에 따른 신계급주의가 사회적으로 이슈화 되고 있다. 하지만, 우리나라에서처럼 내면을 들여다보지 않고도 누가 노예인지 뻔히 알 수 있도록 이마에 노예라고 쓰고 돌아다니진 않는다.

야유회 또는 산행을 가보면 누가 신입사원인지 너무나도 분명하게 알 수 있다. 가장 무거운 짐을 지고도 제일 빨리 걸으며, 돗자리 위에 음식을 세팅하고, 팀원들이 먹다 남은 음식을 정리하며, 마지막엔 쓰레기를 치우는 사람이 바로 십중팔구 해당 조직의 신입사원이다. 이처럼 입사한지 얼마 되지 않아 조직 내 서열이 낮은 사람들은 그들의 행동거지를 단 몇 분만 살펴보더라도 금세 구별이 가능하다. 아니 어쩌면 서있는 모습과 위치만으로도 구별이 가능하지 않을까 싶다.

사실 이건 심각한 일이다. 결코 웃을 일이 아니다. 노예 같은 것이 아니라 노예인 거다. 옆에 있는 사람들은 도대체 누구 길래 1/N 만큼도 움직이지 않는 것인가?

너무나 천편일률적인 모습이다. 개성 있게 톡톡 튀는 여러 사람들의 이미지는 찾아볼 수 없고, 흑백 프린터로 찍어낸 듯 다들 너무나 비슷한 색과 모습을 하고 있다. 자기 주관이 뚜렷하며 개성 넘치는 젊은이들을 지칭하는 'X세대'라는 단어가 1990년대에 등장했는데, 이후 20년이 훌쩍 넘게 지난 지금도 개성이란 단어가 낯설게만 느껴진다.

회의

같은 조직 내에서 직급이나 나이가 서로 다른 사람들이 한 자리에 모여 회의를 하게 되면 종종 다음과 같은 상황이 발생한다. 1) 서열에서 우위를 점하는 소수의 사람들만이 회의를 주도하거나, 2) 서열이 낮은 사람이 말을 한 후 가끔씩 회의실 분위기가 싸늘해지는 것이다. 한국에서 조직 생활을 경험해 본 사람들이라면 위의 경우가 어떠한 상황인지 충분히 짐작할 수 있을 것이다.

사람들 간에 서열이 있는 상태에서는 수평적인 토의나 토론이 근본적으로 어렵다. 서열이 낮은 사람들은 주어진 안건에 대한 자신의 의견뿐만 아니라 회의실에 있는 사람들 간의 역학관계에도 신경을 써야하기 때문이다. 간단히 말하면, 이래저래 눈치를 봐야 한다는 것이다. 자신의 주장이 서열이 높은 사람들의 그것과 정면으로 충돌할 경우 얘기를 꺼내야 할지 말아야 할지, 또는 발언을 하는 과정에서 본의 아니게 서열이 높은 사람들의 심기를 불편하게 만드는 건 아닌지 늘 조심해야 한다. 사정이 그렇다 보니 서열이 낮은 사람들은 대게 침묵하는 쪽을 택하게 된다. 직·간접적인 경험상 자신의 주장이 얼마나 설득력이 있는지는 그다지 중요하지 않으며 그것보단 서열이 높은 누군가의 기분을 상하지 않게 하는 것이 본인에게 이롭다는 판단을 하게 되는 것이다. 실제로 중요한 의사결정은 대부분 서열이 높은 사람들의 입김에 의해 좌지우지되는 경우가 많으며, 그분들의 심기를 잘못 건드렸다간 괜스레 불이익만

초래할 수 있기에 서열이 낮은 사람들 입장에선 침묵이 최선일 수밖에 없다. 특히 본인의 발언으로 인해 회의실 전체의 분위기가 싸늘해지는 경험을 한 번이라도 했던 사람이라면 더더욱 그럴 수밖에 없을 것이다.

누구나 자유롭게 발언할 수 있는 회의가 아니라면 차라리 안하는 것이 낫다. 서열이 높은 사람이 살짝 인상이라도 쓰면 즉시 입을 다물 수밖에 없는 꼬봉들에겐 괜한 정신노동일 뿐이다. 어떻게든 수평적인 분위기를 만들어내지 못할 바에는 그냥 서열이 높은 사람들끼리 알아서 결정하고 책임지면 된다. 다른 사람 시간 빼앗을 것 없이.

다시 말해, 서열이 높은 사람은 자신의 의견에만 집중하면 되지만, 그렇지 않은 사람의 경우엔 신경 써야 할 것들이 너무나 많다. 무례한 말을 서슴지 않고 얘기하는 사람이 있는가 하면, 그와 같은 공간 안에 그 무례한 사람의 기분까지 생각하며 말을 해야 하는 사람도 있다. 서열이 낮은 사람들이 회의 시간에 들러리가 되는 건 어쩌면 당연한 결과일지도 모르겠다.

사오정

회사 입장에선 경력이 쌓인 직원이 오랫동안 일해주길 바라는 것이 당연할 텐데, 우리나라에선 '45세 정년퇴직'이란 뜻으로 '사오정'이란 말이 흔하게 사용된다. 이러한 현상에 대해 전(前) 한화투자증권 대표이사 주○○씨가 방송에서 다음과 같은 말을 한 적이 있다. 그가 밝힌 '사오정'의 원인은 1) 상사가 부하 직원에게 일을 미루는 경향이 있으며, 2) 신규 직원과 오래 근무한 직원의 임금 차이가 그들의 생산성에 비해 너무 크다는 것이다.

주○○이란 분 자세히는 모르겠지만 내가 본 그 순간만큼은 시원시원하게 말씀 잘하시는 것 같다.

다시 말하면, 프로답지 못한 밀어내기가 계속해서 악순환 되고 있다는 얘기다. 굳이 임금 대비 기준으로 비교하지 않더라도, 서열이 높은 사람이 낮은 사람보다 적게 일한다. 물론 서로의 역할이 달라 직접적인 비교가 불가능한 경우도 있을 수 있겠지만, 동종업계 사람이라면 누가 더 많은 임금을 받아야 하는지 직관적으로 가늠할 수 있을 것이다. 더 큰 문제는 이러한 경향이 서열의 높이차가 커질수록 뚜렷해지며, 그 누구도 여기에 이의를 제기하지 못한다는 것이다. 어느 정도는 소위 말하는 짬밥 대우를 인정한다고 치더라도 어떻게 프로들 세계에서 이런 일이 발생할 수 있는지 도무지 이해가 되지 않는다. 세상천지에 병페도 이런 병폐가 없다.

미국의 장유유서

미국에도 장유유서의 개념이 있다. 어른과 아이의 구별이 있다는 말이다. 우리나라에서처럼 아이가 어른에게 고개를 숙여 인사하거나 낮은 자세를 취하는 것은 아니지만, 어른에게 우선권이 있다는 질서는 인정한다. 우선권이라는 개념이 모호하긴 하지만 굳이 예를 들자면, 차안에서 아버지 옆자리에 앉아 있다가도 어른이 오면 뒷자리로 옮겨 가거나, 어른에게 더 좋은 음식과 자리를 양보하고, 본인의 부모가 아니더라도 어른들의 눈치를 살핀다. 또한, 어떠한 상황이 발생했을 때 그 상황의 통제권이 어른에게 있다는 것을 인정한다.

미국에 있는 동안 알게 된 흥미로운 사실이 있다. 미국에서는 특별한 경우가 아니면 나이에 관계없이 서로의 이름을 부르는데 부모님의 이름만큼은 부르지 않는다고 한다. 신기하게도 친구의 부모님 이름은 부르는데, 본인의 부모님 이름은 부르지 않는다는 것이다. 대신 언제나 엄마(Mom) 또는 아빠(Dad)란 표현을 사용한다. 현지인 몇 명에게 그 이유를 물어봤었는데 그냥 무례한 느낌이란 답변만을 들을 수 있었다.

그러다가 대략 만 21세가 되는 해에 장유유서의 지배로부터 완전히 독립한다. 술을 마실 수 있게 되면서부터 거의 모든 나이 제한에서 자유롭게 되고, 어디를 가던 성인 대접을 받게 된다. 즉 아이에서 어른으로 완전히 탈바꿈하게 되며, 그때부터는 어른의 보호를 받는 것이 아닌 아이들을 보호해야 하는 성인으로서의 자격을 갖추게 된다. 그리고는 죽을 때까지 성인 간에는 평등하다는 마인드를 갖고 살아간다.

우리나라에서는 평생 장유유서의 개념이 따라다닌다. 우스갯소리로 여든 살이 넘어야 어디를 가도 반말로 얘기를 꺼낼 수 있다고 한다. 나 또한 한국에서 나고 자랐기에 이러한 분위기를 모르는 것은 아니지만, 미국의 그것과 비교하면 왠지 안타까운 마음이 든다.

문득 온라인 카페에서 읽은 게시물 하나가 생각난다. 어느 일본군 위안부 피해자 할머니의 빈소에서 있었던 일이다. 빈소를 방문하신 ○○○할머님께서 집으로 돌아가시려고 일어서자 그곳에 있던 많은 정치인들이 함께 일어나 인사를 드리는데, 그 할머님께서 다음과 같은 말씀을 남기셨다고 한다.

"나이 많다고 높은 사람이 아니여! 모두 다 똑같은 사람인데 얼른 앉아서 일들 봐요!"

참전 용사의 마인드

어느 온라인 카페에서 "6 · 25 참전 용사의 마인드"란 제목으로 올라온 글이다.

어느 소녀: "그냥 손녀딸이라고 생각하시고 말 편하게 하세요."

참전 용사: "손녀딸이라고 생각을 해도 한 사람의 인격체니까 존경해야 해요."

이 게시물 뒤로 어떠한 훈.훈.한. 댓글들이 달렸는지는 굳이 설명하지 않아도 짐작할 수 있을 거라 생각한다. 우리는 어떤 것이 바람직한지 이미 알고 있다.

만적

나는 세종대왕을 존경하지 않는다. 한글 창제의 업적을 내세우더라도 그는 단지 왕으로 태어나 왕의 삶을 누리다 간 사람이라고 생각한다. 역사의 흐름이란 측면에서 어쩔 수 없는 시기였다고 하더라도, 난 태어나면서부터 많은 것을 가졌던 그리고 그것을 누렸던 사람을 존경하고 싶지 않다.

개인적으로 만적을 높게 평가한다. 고려 무신 집권기에 최충헌의 노비였던 만적은 노비 해방운동을 계획했으나, 안타깝게도 한충유의 노비 순정의 밀고로 사전 발각되어 다른 노비들과 함께 죽임을 당하게 된다. 생각해보면 얼마나 무서웠을지 상상조차 되지 않는다. 당시 노비들이 느꼈을 철옹성 같은 신분의 벽 앞에서 죽음을 무릅 쓰고 노비들을 규합했던 그의 용맹스러움은 그 어떤 장수의 기개와 비견해도 뒤질 것이 없다고 생각한다.

정말 두려웠을 것 같다. 남은 생을 노비로 사는 것보다는 차라리 죽음을 선택하겠다는 결기가 신분의 벽에 맞설 수 있는 추진력이 되었겠지만, 그렇다고 하더라도 난을 도모하는 것은 결코 쉽지 않았을 것이다. 상대방을 죽여야 한다는 조건으로 전성기 시절의 마이크 타이슨과 글러브 없이 길거리에서 싸울 수 있겠는가?

악어들이 득실대는 강에 제일 먼저 뛰어드는 누우는 보통 죽는다.

분위기를 살펴가며 되겠다 싶을 때 뛰어드는 누우가 영리해 보이긴 해도, 결국 먼저 뛰어들어 희생되는 누우의 심장을 담보로 강을 건너는 것이다. 복효근의 시 '누우떼가 강을 건너는 법'에 다음과 같은 구절이 있다. "악어가 강물을 피로 물들이며 누우를 찢어 포식하는 동안 누우떼는 강을 다 건넌다." 마찬가지로 우리를 위해 희생한 많은 사람들이 있다. 만적의 난 이후로 민주화 항쟁을 거쳐 지금에 이르기까지 공고했던 서열의 벽들이 무너지고 있지만, 아직도 그 본질은 다양한 형태로 우리들의 삶을 지배하고 있다. 왕후장상의 씨가 따로 있는 것이 아닌 것처럼 사람 간의 높낮이, 즉 서열을 나누는 행위 또한 단언코 합리적이라 할 수 없다.

내 밑

난 서열 문화가 자리 잡고 있는 곳에선 그다지 사교적이지 않다. 사람들과 어울리려면 그 사람들이 공유하는 문화를 인정하고 그 안에 몸을 적셔야 하는데 난 그것을 원치 않기 때문이다. 한국 사람들은 종종 '내 밑' 이란 표현을 사용한다. "이번에 내 밑으로 아무개가 들어왔어", "그 친구는 내 밑이야", "내 밑으로는 한명 밖에 없어" 등의 말은 우리 주변에서 심심치 않게 들을 수 있는 표현들이다. 그런 말들이 특별히 악의적인 뜻을 내포하고 있는 것은 아니지만, 나에겐 그리 달갑지 않다. 단순히 직책의 높고 낮음을 표현하는 것이 아니라, 내 치다꺼리 하는 부하라는 뉘앙스까지 함께 전달되는 경우가 많아 이를 온당히 받아들이기가 어렵기 때문이다.

미국에는 반대의 의미를 갖는 'Higher-up' 이란 표현이 있다. 화자에 비해 조직 내에서 보다 높은, 중요한 직책에 있는 사람을 의미하는데, 한국에서의 '내 위' 란 표현과는 그 의미가 사뭇 다르다. 간단히 말해, 미국에서는 비즈니스 관계에서의 상위 결재권자 그 이상을 의미하지 않는다. 물론 'Higher-up'에 해당되는 사람들이 인사권을 갖고 있기 때문에, 그 보다 낮은 위치에 있는 사람들은 꼬투리를 잡히지 않기 위해 그들의 눈치를 보거나 미팅에 늦지 않기 위해 좀 더 신경을 쓴다. 하지만, 필요 이상으로 자신을 낮추거나 어려워하는 기색을 보이지는 않는다. 미국에서는 거지가 동냥을

할 때에도 굽실거리지 않는다는 것을 알고 있다면, 그리 놀라운 일은 아니다.

이와 달리 한국에서는 서열에서 밀리면 치다꺼리를 해야 하거나, 다소 순종적으로 관계에 임해야 한다고 생각하는 사람들이 적지 않다. 서열이 낮은 사람은 원치 않음에도 불구하고 술을 따르거나 받아야 하며, 상대의 비위를 맞추기 위해 조심스럽게 행동해야 한다. 특히 직장에서는 싫어도 계속 부딪혀야 하는 상황이 발생하다 보니 어찌할 방법이 없다. 그저 하루하루 모난 돌이 되지 않게 몸을 사릴 뿐이다.

미국인 친구들에게 한국의 서열 문화에 대해 몇 차례 얘기해 준적이 있다. 친해지기 전에는 아무 말 없이 고개만 끄덕이더니, 좀 친해지고 난 후에는 딱 한마디로 한국의 서열 문화를 표현하더라. 'STUPID' 하다고.

빠른 년생

서열에서 우위를 점하면 사람 간의 관계에서 여러모로 편해질 수 있다 보니 '빠른 년생'이란 기이한 단어가 등장하기도 한다. 85년 9월 출생자와 86년 2월 출생자의 경우 한국식 나이는 서로 다르지만 같은 해에 초등학교에 입학하기 때문에 자연스럽게 친구 관계가 된다. 이후 고등학교 때까지는 학년 중심의 문화 속에서 생활하기 때문에 나이가 다르다는 사실이 별 문제가 되지 않지만, 고등학교 졸업 이후에는 조금씩 어색한 상황이 발생하기 시작한다.

상대방이 서열을 따지기 위해 나이를 물었을 때 대답하기가 곤란해지는 것이다. 예를 들어 대학교 3학년이 된 86년 2월 출생자에게 그와는 다른 고등학교를 졸업한 85년 4월생 또는 86년 5월생이 나이를 묻는 경우가 그렇다. 이 경우 86년 2월 출생자는 자신이 85년생들과 동일한 학년을 거쳤다는 것을 알리기 위해 자신의 나이를 언급하기 보다는 '빠른 86'이란 표현을 쓴다. 그런데 문제는 85년 4월생과 86년 5월생이 이를 어떻게 받아 들이냐 하는 것이다. 85년 4월생은 86년 2월 출생자가 본인을 형이라 불러야 한다고 생각할 수 있으며, 86년 5월생의 경우도 86년 2월 출생자는 자신과 동갑일 뿐 형이라고 부를 필요는 없다고 생각할 수 있다.

내 친 동생은 실제로는 12월생인데 출생신고를 늦게 해서 주민등록상에는 1월생으로 나온다. 근데 그것도 일일이 해명하느라 고생

꽤나 했던 것 같다. 이게 뭐냔 말이다.

이렇다보니 시간이 흐르면서 기준이 달리 적용될 경우, 같은 모임 또는 조직 내에서 A는 B, C와 친구인데 B는 C를 형으로 부르는 경우가 생기는 등 호칭 정리가 제대로 되지 않아 불편한 상황이 발생하기도 한다. 흔히 족보가 꼬였다고 불리는 상황인데 한국의 서열 문화가 얼마나 기형적인지를 잘 보여주는 안타까운 단면이다.

기준의 충돌

상대방이 나이는 어리지만 선배 또는 상사일 경우 서열 관계를 따지는 것이 애매할 때가 종종 있다. 친목 위주의 모임, 예를 들어 학교 동아리 활동 정도라면 기수가 낮더라도 나이가 많으면 어느 정도 대접을 해주는 경우가 있지만, 조직의 성격이 비즈니스에 가까울수록 기수나 직급이 우선시 되는 경향이 강하다. 사실 비즈니스 관계에 있어 직급의 중요성은 두말할 나위가 없다. 그런데 문제는 한국에서는 서열 대접에 있어 공과 사의 구분이 명확하지 않기 때문에 서열을 나누는 기준이 충돌했을 때 첨예하게 대립할 수밖에 없다는 것이다. 한국식 서열이란 것이 공적인, 업무적인 관계에서의 행동양식에만 영향을 미치는 것이 아니라 사람간의 개인적인 높낮이까지 규정하는 경우가 많아 종종 불편한 상황이 초래된다. 기수는 아래지만 나이가 많은 후배 입장에선 나이 어린 선배에게 먼저 인사를 하거나 회식 자리에서 뒤치다꺼리를 하는 것이 기분 나쁠 수 있고, 반대로 나이는 어리지만 기수가 위인 선배 입장에선 그것을 당연하다고 여길 수 있는 것이다. 물론 기준이 충돌하는 경우 차선책으로 직접적인 업무 영역 외에서는 서로 존중을 표하는 방법이 있긴 하지만, 그럼에도 불구하고 미묘한 갈등 관계를 완전히 해소하기란 쉽지 않다.

사실 기준이 충돌하게 되면 여간 불편한 것이 아니다. 일단 감정적으로 받아들이기가 무척이나 힘들다. 나이 어린 상사 치다꺼리를

해야 한다고 생각하면 아무리 프로 정신을 발휘한다고 하더라도 뭔가 찝찝한 기운이 가시질 않는다. 선배 또는 형님들이 군대는 무조건 빨리 가라고 하는 이유도 여기서 찾을 수 있다. 한 살이라도 어릴 때 자신보다 형들에게 구르는 것이, 그 반대의 경우보다 훨씬 낫기 때문이다.

제2장 해방, 왜 어려운가?

너무 큰 달콤함

한국의 서열 문화는 돈과 권력이 있는 사람에게 너무나 많은 것을 가져다준다. 일반적인 법과 제도에도 적잖이 사회 기득권층을 위하는 측면이 있지만, 한국식 서열 문화의 경우엔 그것과는 비교도 할 수 없을 정도로 강자에게 유리하게 작동한다. 때문에 작은 변화를 꾀하는 것조차 그리 녹록하지 않다.

서열을 나누는 본질적인 이유는 공적인 일과 사적인 일을 가리지 않고 '밀어내기'를 하기 위함이다. 힘들고 더럽고 어려운 일을 서열이 낮은 사람에게 전가하고, 서열이 높은 사람은 꿀만 빨겠다는 더러운 심보다. 1/N 씩 하거나, 돌아가면서 하면 될 일을 굳이 서열을 매겨놓고 높이가 낮은 사람이 해야 한다고 말한다. 그리고는 권위에의 복종을 확인하기 위해 술을 따르면 받아야 한다고 강요한다. 미친 세상이다.

서열이 높은 사람을 대접하는데 있어 딱히 공적인 영역과 사적인 영역을 구분하지 않기 때문에 서열이 높다는 것은 곧 계급 또는 신분이 높다는 것을 의미한다. 쉽게 말하면, 서열이 낮은 사람들은 서열이 높은 사람들에게 머리를 조아려야 한다는 것이다. 혹자는 지나친 비약이라 말할 수도 있겠지만, 본인이 누군가에게 먼저 인사를 해야 하고, 그를 위해 수저를 세팅해야 하고, 그 앞에서 다리를 꼬고 앉으면 안 되고, 그가 술을 권하면 받아야 하고, 그를 위해 커피를 타고 라면을 끓여야 한다면 그건 머리를 조아리는 행위 그 이상이란 걸 부인할 수 없을 것이다. 이는 우리 성인들이 직장생활을 하면서 흔히 볼 수 있는 광경이지, 결코 극단적인 케이스가 아니다.

저런 기형적인 행동양식을 예절이라 포장하기 위해 '장유유서' 또는 '동방예의지국'이란 말을 갖다 붙이기도 하지만, 이는 얼토당토않은 눈속임일 뿐이다. 유교의 가르침이 반드시 옳다고 볼 수도 없으며, 동등한 인격체 관계이어야 할 성인 사이에 높낮이를 만드는 것 자체가 비합리적인 행위이다. 어떻게 저러한 행동들을 감히 예의라고 말할 수 있는가? 설령 상명하복을 원칙으로 하는 군대라고 해도 그러한 행동들이 용납되어서는 안 된다. 아무리 보기 좋게 치장하려고 해도 수직적 네트워크와 서열 복종은 자유와 평등의 가치에 정면으로 배치될 뿐이다.

꼬리물기

한국의 서열 문화가 단순히 지배층과 피지배층으로 나뉘거나 인종 차별 등과 같이 우월적 편 가르기 식이었다면 이를 붕괴시키는 것이 크게 어렵지는 않을 것이다. 너무도 당연한 일이기에 현 시대 우리 국민들의 의식 수준만으로도 "바뀌는 것이 옳다."라는 명분하에 세대를 막론한 다수의 지지를 얻을 수 있을 거라 생각한다. 이러한 경우라면 단지 시간의 문제일 뿐, 해결책을 고민할 필요는 없을 것이다. 하지만, 안타깝게도 한국의 서열 문화는 그리 단순하지 않다.

돈과 권력을 위해 투쟁해야 하는 곳에선 돈과 권력이 곧 힘이고 서열과 직결된다. 다른 요소들은 그리 중요하지 않다. 반면 이와 동떨어진 곳에선 기수나 나이가 서열을 매기는 주요한 기준이 된다. 이 때 기수와 나이는 어떤 것이 우선시 되어야 하는지를 두고 종종 마찰을 일으키기도 한다. 여기서 알 수 있는 것은 돈과 권력이 우선시되는 자본주의 사회의 피라미드 구조 하에서 나이라는 개념이 서열을 나누는데 있어 그다지 힘을 쓰지 못한다는 점이다. 달리 얘기하면, 하위권에 위치한 사람들끼리, 그것도 중상위권 도약이 원천적으로 불가능한 지점에서, 하다못해 나이로라도 서열을 나누고자 발버둥 치는 안타까운 형국이란 것이다.

이렇듯, 비즈니스 외적인 곳에서도 어떻게든 서열을 나누어 꼬리에 꼬리를 무는 형태로 사람들을 줄 세워 놓으면, 하위권에 위치한 사람이라도 다른 누군가보다는 위에 설 수 있게 된다. 설령 정말 맨 마지막에 위치한 사람이라고 하더라도 조금만 견디면 한 살이라도 어린 누군가가 뒤를 채워 주게 된다. 다시 말해, 한국식 서열 문화의 핵심은 꼬붕도 자신의 꼬붕을 가질 수 있다는 것이다.

노예가 본인의 노예를 해방시키는 것이 아까워 자신의 족쇄를 풀지 못하는 형국이다. 이건 마치 평민이 자신보다 낮은 계급인 천민과 동등해지는 것을 원치 않아 신분제 철폐를 앞장서서 반대하는 꼴이다.

때문에 자유와 평등의 가치를 내세우며 서열 문화를 비판하다가도 눈앞의 이익을 거부할 수 없는 한낱 사람인지라 당장 자신의 꼬붕이 주는 달콤함을 포기할 수 없어 원래의 자리로 돌아가게 된다. 이는 피라미드 하부 구조의 노예들이 반란을 일으킬 수 없도록 그들조차 줄세우기를 한 결과이다. 결국 이러한 메커니즘 때문에 노예는 해방을 꿈꾸지 못하고, 체제는 더욱더 공고해지며, 결과적으로 돈과 권력의 최상층에 있는 사람들은 현대판 왕이 되어 간다.

높은 인구밀도

좁은 땅덩이에 사람이 너무 많다. 사람이 많아질수록 그리고 구성원의 성격이 다양해질수록 무질서도는 증가할 수밖에 없다. 일례로, 나는 2016년 5월부터 정확히 일 년간 미국 커넥티컷주에 위치한 모 대학교에서 방문 연구원으로 근무한 적이 있다. 그 기간 동안 연구실에서 대략 8 마일 정도 떨어진 심즈베리(Simsbury)란 작은 도시에서 아파트를 렌트하여 거주했었는데, 당시 도로 위에서 현지인들로 부터 받은 느낌은 굉장히 친절하다는 것이었다. 전반적으로 남을 배려하는 성숙한 운전 문화를 느낄 수 있었으며, 귀를 따갑게 하는 경적 소리는 좀처럼 들을 수 없었다. 하지만 불과 두 시간 남짓 거리의 뉴욕을 방문 했을 때의 느낌은 가히 충격적이었다. 신호를 무시하며 거리를 활보하는 보행자들, 꼬리에 꼬리를 물며 도로 위를 어지럽히는 자동차들, 그리고 사방에서 들려오는 경적 소리는 뉴욕이 심즈베리와 같은 미국 땅이라는 것을 도저히 믿을 수 없게 만들었다. 심즈베리에서 마주친 그 사람들은 아니었겠지만, 뉴욕 사람들도 분명 같은 미국인들이었으며 지역적 차이를 언급하기에는 상당히 가까운 거리였다. 때문에 미국인들의 운전 문화를 섣불리 단정 짓기보다는, 인구밀도 등의 상황에 따라 바뀔 수 있는 개념으로 이해하는 것이 나을 것 같다. 사람이 많은 곳은 대체로 바쁘게 돌아가는 도심지일 확률이 높고, 도심지에선 사람들 간의 동선이 워낙 조밀하게 겹치다보니 소수의 사람들이 문제를 일으키더라도 그 여파가 상당히 멀리까지 퍼져나가 많은 사람들에게 영향을 미치게 된다. 게다가 시간에 쫓기는 사람들이 많이 몰려 있기에 일반적으로는 그리 크게 문제가 될 만한 행동이 아님에도 불구하고 본의 아니게 타인에게 불편함을 줄 수 있다. 결국 실타래처럼 얽힌 공간적 네트워크 속에서 도심의 구성원들은 필연적으로 좋지 않은 자극에 반복적으로 노출될 수밖에 없다. 이는 사람들로 하여금 도심지 운전 등을 할 때 마음의 평정심을 유지하기 어렵게 만들고, 나아가 양보를 하면 손해를 보게 된다는 생각까지 들게 만들기도 한다.

서열 문화도 마찬가지이다. 소위 꼬붕 문화라고도 불리는 계급주의 행태는 사람이 많은 곳에서 더욱더 공고해진다. 2000년대에 들어 해외여행 또는 다양한 미디어를 통해 자유와 평등의 가치를 중요시하는 서구 문화를 경험하는 사람들의 수가 증가했고, 이는 비합리성에 대한 자각 및 기존 시스템에 대한 반성을 불러 일으켰다. 이러한 현상은 서열 문화를 보다 합리적인 방향으로 개선할 필요가 있다는 의식의 전파를 주도했고, 대중매체들도 관련 프로그램들을 통해 이에 동참하기 시작했다. 하지만 15년이 훌쩍 넘는 세월이 흘렀음에도 불구하고 한국의 꼬붕 문화는 여전히 그 위용을 뽐내고 있다. 이는 서열 문화가 갖는 본질적 속성, 즉 꼬리에 꼬리를 무는 방식으로 서열이 형성된다는 점 이외에도 전반적으로 높은 인구밀도와 경쟁적인 분위기가 서열 문화의 붕괴를 막고 있기 때문이다. 뉴욕의 운전 문화 맥락과 마찬가지로 얽히고설킨 공간적 네트워크 속에서 이미 오래전부터 뿌리를 내려온 서열 문화는 시시각각 많은 사람들에게 영향을 미치며 합리성을 짓누른다. 사람들은 비합리적인 문화에 울분을 토로하다가도 이리 치이고 저리 치이다 보면 결국 나만 손해를 본다는 느낌을 받게 되고, 이를 만회하고자 다시 적폐의 일부분으로 돌아가게 된다. 그리고는 어쩔 수 없다는 생각을 하며 자위하게 된다.

후배 직원들로부터는 한국식 서열 대접을 받지 않겠노라 마음먹었는데, 선배 직원들에게는 철저히 서열 대접을 해야 한다면, 후배와의 관계는 머지않아 선배와의 관계처럼 변화될 가능성이 높다. 전체적인 밸런스가 맞지 않아 나만 손해 본다는 느낌을 지울 수가 없기 때문이다. 조금 바꿔 말하면, 큰 불편을 감수하면서까지 나만 원칙대로 지내기엔 삶이 그다지 여유롭지 않다. 적폐인걸 알지만 어쩔 수 없는 선택이다.

존댓말의 장벽

서열 문화의 붕괴를 막는 강력한 잠금 장치는 서열 관계를 규정하고 있는 말(言)이다. 서열이 낮은 사람은 서열이 높은 사람 앞에서 행동거지뿐만 아니라 말까지도 조심해야 한다. 한국말은 이를 모국어로 하는 사람들조차 손사래를 칠만큼 극존칭부터 하대까지 다양한 단계별 높임법과 용례를 갖는다. 높여야 할 대상이지만 듣는 이가 더 높을 때 그 공대를 줄이는 어법인 압존법의 경우 우리나라 사람들도 많이 헷갈려한다. 여하튼 큰 틀에서 보면 존댓말과 반말이 있다. 반말을 국어사전에서 찾아보면 '친근한 관계나 동료 간에 편하게 하는 말투' 또는 '손아랫사람에게 하듯 낮추어 하는 말'이라고 정의되어 있다. 반면 존댓말은 '사람이나 사물을 높여서 이르는 말'로 그와는 반대의 뜻을 갖는다.

일반적으로 말을 높이거나 낮출 때에는 나이를 기준으로 하지만 이것도 서열 관계에서 완전히 자유로울 수는 없다. 보통 나이가 많은 사람에겐 높임말을, 동갑 이하의 사람에겐 낮춤말을 사용하는데, 나이가 어리더라도 서열에서 우위에 있는 경우 존칭을 써서 예우를 표한다. 또한 조금은 불편한 예시이긴 하지만, 나이는 어리지만 서열 상 꽤 높은 위치에 있는 경우 나이가 많은 사람에게 반말을 하는 경우도 적지 않다. 어찌되었던 여기서의 핵심은 서열이 높은 사람은 말과 행동양식 하나하나에서까지 모두 대접을 받는다는 것이다.

이러한 서열 개념이 예절이란 미명하에 상당히 오랜 시간 동안 우리 국민들에게 영향을 끼쳐 왔기에 한국의 서열 문화는 철옹성이 되어 버렸다. 자라오면서 알게 모르게 서열 문화에 길들여졌고, 그것이 비합리적이라는 것을 깨닫게 될 즈음에서는 이미 자신의 모든 말과 행동이 서열이란 질서에 따라 움직이고 있게 된다. 사정이 그렇다보니 나이에 관계없이 서로 존칭을 쓰겠다는 시도조차 곧 한계에 부딪히게 된다. 아무래도 존댓말은 격식을 차릴 때 쓰는 표현법이라 둘 사이의 거리감을 좀처럼 좁힐 수가 없기 때문이다. 다시 말해 서로 존칭을 쓰게 되면 아무래도 일정 수준 이상 친밀해지기가 상당히 어려워진다. 그렇다고 해서 나이 차이가 상당히 나는데 서로 반말을 할 수도 없는 노릇이다. 결국 긍정적인 변화를 꿈꾸기에는 시기적으로 너무 늦어 버려 아무런 시도조차 할 수 없게 된다. 시나브로, 모르는 사이에 조금씩, 조금씩 우리는 그렇게 피라미드 구조에 순응하는 노예가 된 것이다.

존댓말처럼 상대방에게 예우를 표하면서, 반말처럼 친근함까지 담아낼 수 있는 현대식 하이브리드형 어법이 필요하다.

무의식적 각인

다양한 연령대의 사람들이 주로 접하는 각종 연예·오락 프로그램을 중심으로 한국의 서열 문화가 짙게 배어있는 장면들이 반복적으로 대중들에게 전달된다. 매스컴 속의 후배 가수는 선배 가수에게, 후배 배우는 선배 배우에게, 후배 개그맨은 선배 개그맨에게, 후배 모델은 선배 모델에게, 후배 운동선수는 선배 운동선수에게 확실한 서열 대접을 한다. 기립자세로 마중하며, 90도 폴더 인사를 하고, 깍듯한 존칭을 사용하며, 야외에서는 치다꺼리를 한다. 연예인과 연출자의 행동양식, 그리고 TV 속 자막까지 모두가 서열 문화를 아무런 의심 없이 그대로 인정하고 받아들이는 모습이다.

TV를 시청하다 보면 이○○ 선생님, 강○○ 선생님 하면서 연신 허리를 굽히고, "대선배님과 함께 있는 것만으로도 영광입니다." 라고 말하는 사람들을 적지 않게 볼 수 있다. 모두가 비슷한 패턴으로 선배들을 칭송하고, 자신을 낮춘다. 사실 이게 우리나라에서의 모범 답안이란 걸 나도 잘 안다. 너무나도 잘 알고 있다. 그런데 정말 진심으로 그렇게 생각하는 사람은 과연 몇 명이나 될지 그것이 궁금하다.

이러한 장면들은 대중들의 머릿속에 무의식적으로 각인되어 그것을 자연스럽게 받아들이도록 만든다. 서열 개념이 무엇인지, 어떤 방식으로 서열이 나뉘는지, 서열이 낮은 사람은 어떻게 행동해야 하는지 등이 대중들에게 자연스럽게 교육되며, 이는 사회 전체로 퍼져나가 사람들의 합리성을 마비시킨다. 더 이상 합리적인 행동인지 아닌지가 중요한 것이 아니라 그냥 그것이 자연스러워지는 것이다.

결국, 10대, 20대 때부터 매스컴에 길들여지기 시작한 사람들은 본인 스스로 한국식 서열 문화에 대한 합리적 의심을 단 한 차례도 해보지 못한 채 머리가 굳게 된다. 그리고는 한국식 서열 문화에 따르는 것이 곧 예의라고 생각하며 타인에게도 이를 강요하기 시작한다.

굽실거림의 혜택 1

꼬붕에게 주어지는 혜택이 있다. 그것은 서열이 높은 사람과 함께 있으면 가끔씩 밥이나 술을 얻어먹을 수 있다는 점이다. 물론 반대의 경우도 있긴 하지만, 총 빈도수를 따져보면 일반적으로 그렇다고 해도 큰 무리가 없을 거라 생각한다. 서열이 갖는 힘이 사적인 영역까지 미칠 수 있도록 동의해준 대가로 형, 선배, 또는 상사가 밥을 사는 것이다. 서열이 높은 사람을 위해 존댓말을 쓰고, 먼저 인사를 하고, 수저를 세팅하고, 다리를 꼬고 앉지 않고, 커피를 타고 라면을 끓여 대접하니 가끔씩 밥이나 술 정도는 사줄 수 있다는 거다. 개인적으로는 이해가 되지 않지만, 사실 이러한 혜택 때문에 서열 문화를 지지하거나, 또는 본인에게 유리한 방향으로 적절하게 이용하려는 사람들도 적지 않다.

실제로 서글서글하게 잘만하면, 그래서 형, 선배, 상사에게 이쁨을 받게 되면 이리 저리 불려 다니면서 술과 밥을 마음껏 얻어먹을 수도 있다. 본인이 서열상 제일 높은 위치에 서게 되는 것만 잘 피하면 총 술자리 비용의 1/N 보다는 항상 적게 내기 때문에 손해 볼 것 없는 장사다. 그래서 사람 좋아하고, 술 좋아하며, 모임 좋아하는 사람에게는 적절히 서열 문화에 순응하면서 그러한 혜택을 누리는 것이 꽤나 매력적인 딜(deal)일 수 있다. 어울릴 수 있고 먹을 수 있으니 본인이 그다지 큰 스트레스를 받지 않고 서열 문화에 적당히 장단 맞춰줄 수만 있다면 결코 나쁜 상황이라 볼 수 없다. 게다가 한국식 서열 문화는 언제나 꼬리에 꼬리를 무는 형태로 이어지기 때문에 주위를 둘러보면 자신을 대접해줄 꼬붕 한 명 정도는 언제든 쉽게 찾을 수 있다. 짐작하건대 주머니가 넉넉한 형, 선배, 상사 주위에 유독 사람이 많이 모이는 이유도 여기에서 찾을 수 있을 것이다.

굽실거림의 혜택 2

(지연이나 학연 등으로 얽혀 있는 가운데) 상사에게 밥을 얻어먹어 가며 꼬붕 노릇을 잘 하게 되면, 때론 인간적인 유대감이 형성될 수 있고 이는 조직 내에서 경쟁할 때 직·간접적으로 도움이 되기도 한다. 어떠한 평가 시스템이던 대부분 상위 결재권자의 정성평가 항목이 포함되어 있기에 상사가 마음만 먹으면 자신의 꼬붕을 위해 다음 단계로 올라갈 수 있는 다리를 놓아 줄 수 있다. 즉, 라인이 형성되는 것이다.

흔히 군대 또는 회사에선 줄을 잘 서야 된다고 말을 한다. 다수의 사람들이 모이는 곳이라 자연스럽게 편 가르기가 발생하고, 그 안에서 서로 밀어주고 당겨주는 것이다. 그런데 문제는 사람간의 본딩(bonding)을 위한 매개체가 서열 대접이란 데에 있다. 한국식 서열 문화에 기반 하여 끈끈함을 유지하게 되면 조직 내에 부정부패가 만연할 수밖에 없다. 사람 간에 높낮이를 나누는 행위 자체가 부정이란 건 둘째 치고서라도, 꼬붕들로서는 서열이 높은 사람의 결정에 줏대 있게 반박하기가 상당히 부담스럽기 때문이다. 보통 해당 라인의 머리에서 내린 결정이 그대로 가는 경우가 많다. 결국 잘못을 목격하더라도 꼬붕 입장에서는 이를 따를 수밖에 없기에 거시적인 관점에서 보면 청탁이나 불공정 관행 등 각종 비리에 취약할 수밖에 없다.

어쨌든 라인을 구성하고 있으면서 꼬붕 노릇을 잘 하게 되면 결국 라인을 탈 수가 있다. 승진을 하여 보다 윗선으로 올라갈 수 있게 되는 것이다. 서열 복종에 대한 실질적인 보상이 주어지는 순간이다. 그리고 이것이 끝까지 살아남을 수 있도록 라인을 잘 선택해야 하는 본질적인 이유이다.

하지만, 그것은 엄연히 공과 사를 구별하지 못하는 조직 내의 비리, 또는 권력 남용일 뿐이다. 서열 문화의 비합리성을 자각한 사람에게는 상사에게 밥을 얻어먹는 것은 물론 '꼬붕되기'를 전제로 하는 양아치식 '라인타기'까지 모두가 불편한 가시일 뿐이다.

제3장 공존, 어떻게 살아야 하나?

문제 인식

사회생활을 하거나 인간관계를 맺다보면 아쉬운 쪽이 발생할 수 있고, 그러한 기울기가 서열이란 형태로 나타나 그것이 낮은 사람을 움츠러들게 한다. 하지만, 서열이란 것이 사람 간의 높낮이를 의미해선 안 된다. 공적인 영역에서야 업무상 지시에 따라야겠지만, 사적인 영역에선 누구든지 성인 대 성인의 관계일 뿐이다. 한국식 서열 문화를 추종하는 사람들은 사람간의 높낮이를 인정하는 동시에 공과 사를 구별하는 것이 쉽지 않다고 얘기하지만 사실상 제대로 된 명분이 없다. 자유와 평등의 가치를 인정하면서, 왜 사람 간에 서열을 나누려고 하는지 합리적으로 설명하지 못한다. 예로부터 그래왔기 때문이란 것이 그들의 논리라면, 다시 조선시대 신분제로 돌아가는 것도 찬성하는 것인가? 그렇다면, 족보를 따져볼 의향이 있는가?

수많은 사람들과 얘기를 나눠봤지만 한국식 서열 문화가 왜 옳은지에 대해 합리적인 주장을 하는 사람을 본 적이 없다. 이래저래 설명을 하다가도 결국엔 '그냥' 그렇다고 한다. 또는 합리성을 무시한 채 계속해서 '문화의 다양성'이란 말만 늘어놓는다. 사실 합리성이 배재된 '문화의 다양성'이란 말은 상당히 위험한 말이다.

한국 사회 전반에 깔려 있는 서열 문화의 문제점을 정확하게 인지하고, 무엇이 합리적인 방향인지 본인 스스로 생각하는 시간을 갖는 것이 중요하다. 백 년도 채 되지 않는 시간을 살면서 왜 그렇게 남의 눈치를 봐야하는지, 왜 할 말이 있음에도 불구하고 입을 다물어야 하는지, 왜 저 사람은 마음대로 얘기하는데 난 그 사람의 기분까지 생각하면서 조심해야 하는지를 곰곰이 생각해 봐야 한다. 그리고 나선 무엇이 합리적인 방안인지 고민하고, 가급적 피해를 최소화 할 수 있는 범위 내에서 현실과 타협해 나가야 한다. 그것이 우리가 스스로 내딛을 수 있는 작은 첫걸음이다.

비즈니스 모델

밥벌이를 해야 하는 곳에서 상위 결재권자가 업무 외적인 지시를 하거나, 무례하게 행동할 때 대처하기가 쉽지 않다. 그러한 사람들은 대게 권력 남용을 당연시 하거나 공과 사를 분리하지 않기에 더 큰 힘으로 누르지 않는 이상 대화로는 문제를 풀기가 어렵다. 또한 조직 내에서 상대적으로 높은 위치에 있기 때문에 내부 시스템을 발동시켜 문제를 해결하려다 보면 도리어 신고자가 위험에 빠질 수도 있다. 시간과 노력을 들여가며 상사와 맞서는 것도 엄청난 에너지 소모일 뿐더러 다수의 구성원이 한국식 서열 문화에 순응하고 있는 상황에선 오히려 싸가지 없는 놈으로 낙인찍히거나 꼬투리를 잡혀 역공을 당할 수도 있다. 직장이 아닌 곳이라면 서열 문화를 강요하는 사람과의 관계를 포기하면 되겠지만, 먹고 사는 문제가 달려있을 경우엔 해결 방안이 그리 단순하지 않다. 마치 계란으로 바위를 치는 격이라 사실상 정면 돌파로는 승산이 없다. 이는 서비스업에 종사하면서 무례한 고객을 대할 때에도 마찬가지다.

결국 꼬붕이 되고 싶지 않다면 업무 이외의 시간을 할애하여 다양한 수익모델을 확보해야 한다. 직장에 다닐 경우, 만일의 사태에 대비하여 직장 수입의 일정 부분을 대체할 수 있을 만한 몇 가지 수익모델을 미리 준비해 두어야 한다. 물론 단순한 직종 변경이 아닌 서열 문화로부터 자유로움을 줄 수 있는 모델이어야 한다. 어느 정도의 위험은 감수해야겠지만, 그래야 압박이 들어왔을 때 의연하게 대처할 수 있다. 자본주의 사회에서는 '경제적인 최소한'을 마련하는 것이 무엇보다 중요하며, 언제든 자신의 앞가림은 할 수 있어야 다음을 기약할 수 있다.

어떻게든 총알을 확보해야 한다. 같은 노예라고 하더라도 언제든 방아쇠를 당겨 자신의 족쇄를 부술 수 있는 노예와 그렇지 않은 노예는 다르다. 총알을 준비하지 못한 노예는 결국 버려질 뿐이다. 공포탄이 아닌 실탄 여러 발이 필요하다.

이제는 개인이 강해져야 할 때이다. 머지않아 프리랜서의 시대가 도래 할 것이며, 집단 체제에서 개인 체제로 서서히 바뀌어갈 것이라 생각한다. 세상에는 우리들이 보지 못하는 다양한 길들이 존재하며, 우리들이 새로운 길을 만들어 갈 수도 있다. 기존의 직업에 구애 받지 말고, 다양한 수익모델을 개발해야 한다. 현재로선 그것이 우리들을 서열 문화로 부터 해방시켜 줄 수 있는 거의 유일한 통로이다. 시스템을 개선할 수 없다면 일단 개인이 할 수 있는 일을 시작해야 한다.

무턱대고 창업을 준비해야 한다는 것이 아니다. "너 아니어도 이거 할 사람은 많다." 라는 말에 대비하라는 것이다. 백세 시대가 도래하고 있다. 그런데 은퇴는 보통 60세가 되기 이전에 해야 한다. 어차피 은퇴 후 새로운 수익모델을 가동시켜야 하니, 시대의 흐름에 발맞추어 미리미리 준비하는 것이 필요하다는 것이다. 그럴듯한 수익모델을 옵션으로 가지고 있는 사람은 더 이상 수평적 인간관계를 방해하는 서열이란 짐승에게 먹이를 주지 않아도 된다. 누구나 수익모델을 통해 성공할 순 없겠지만, 한국식 서열 문화에서 자유롭길 바라는 사람이라면 최소한 준비할 가치는 있을 것이다.

자신의 앞가림은 할 수 있을 정도의 수익모델을 개발하는 것이 관건이다. 수익모델에 관련한 자세한 내용은 이 책에서 다루지 않겠지만, 금수저가 아닌 이상 누구나 부딪힐 수밖에 없는 문제란 것을 받아들이는 자세가 필요하다. 노예 취급을 받지 않으려면 어딘가에 힘없이 종속되어서는 안 된다.

전문성

결국 실력이 답이다. 어떤 분야에서건 실력이 출중하면 수익모델은 자연히 파생되며, 사실상 '갑(甲)'보다 높은 서열의 '을(乙)'이 될 수도 있다. 설령 그것이 대체 가능한 기술이라 할지라도 정말 탁월하면 반드시 그를 찾는 사람이 생긴다. 서열에 굽실거리지 않더라도 말이다.

우리 주변 혹은 매스컴에서 할 말 다하고 사는 것 같은 사람들을 떠올려 보면 한 가지 공통점을 발견할 수 있는데 바로 전문성이다. 그들은 그 분야에서 탁월하다는 소리를 많이 듣는다. 현역 시절 한참 선배인 이○○ 선수와 씨름판 위에서 미묘한 신경전을 펼쳤던 전(前) 씨름 선수 강○○씨, 방송에서 거침없는 입담으로 화재를 몰고 다녔던 가수 고(故) 신○○씨, 팟캐스트에서 신랄하게 정치 풍자를 했던 방송인 김○○씨 등 이들은 어떻게 보면 한국식 서열 문화 정서로는 다소 이해하기 힘든 사람들이다. 그런데 죽지 않는다. 그 자리에서 도태되지 않는다는 얘기다. 그렇다. 그들의 전문성이, 즉 실력이 사람들의 거부감을 짓눌러버린 케이스다.

이와 같이 탁월한 전문성은 서열 문화에서 탈출할 수 있는 즉각적인 솔루션이다. 그런데 문제는 안타깝게도 누구나 그렇게 될 수 없다는 데 있다. 그렇다면 포기해야 하나? 아니다. 어차피 한 분야에 종사하게 되면, 당신이 정말 프로페셔널이라면 탁월한 전문성은 자연스럽게 당신의 목표가 된다. 그러니 조금 더 분발해서 지금 서 있는 그곳에서 장인이 되길 바란다. 설령 탁월한 장인이 되지는 못하더라도 분명 당신에게 자유로움을 주는 무엇인가를 얻게 될 것이다. 돈이건, 명예이건, 새로운 비즈니스 모델이건. 본질적으로 상당부분 운이 지배하는 영역이 아니라면 실력은 절대 당신을 배신하지 않을 것이다.

외부의 감시

예체능 또는 이와 유사한 분야에선 소속을 옮기거나 수익모델을 준비하는 것 자체가 원천적으로 힘들 수 있다. 지도자들이 무소불위의 권력을 휘두르고 선후배간 군기도 세며 게다가 파벌까지 있어 그 바닥에서 살아남으려면 물리적 폭력이 가해져도 말없이 감내해야 하는 경우가 많다. 우리나라에서 가장 유명한 축구인 박지성씨도 그의 자서전에서 선배들의 구타에 대해 다음과 같이 언급한 적이 있다. "나를 때린 수많은 선배들에게는 나름대로 이유가 있었는지 모르겠지만 얻어맞는 입장에서는 이해할 수 없는 경우가 대부분이었다. 선배가 되면 결코 후배들을 때리지 않겠다는 결심을 했다. 후배들에게 진정 권위 있는 선배가 되고 싶다면, 실력으로 승부하기 바란다. 실력과 인품이 뛰어난 선배에게는 자연스럽게 권위가 생긴다. 이것은 그동안 내가 뛰어난 선배들을 직접 겪으며 얻은 교훈이기도 하다."

안타까운 얘기지만, 그 바닥의 생리 자체가 서열과 폭력에 얼룩져 있는 경우 해결책을 찾기가 거의 불가능하다. 유소년 시절부터 익혀온 기술을 이제 와서 포기할 수도 없고 바닥이 워낙 좁다보니 자리를 옮긴다고 해서 나아질 것도 없기에 그냥 그렇게 참으며 살게 된다. 대학 시절 친구들과 함께 ○○○ 프로 농구단을 방문하여 연습경기를 관람한 적이 있는데 당시 대학 선수들이 감독에게 수차례 펀치 세례를 맞는 것을 보며 눈살을 찌푸렸던 기억이 아직도 생생하다. 프로에 진출하기 위해 그렇게 맞고도 참아야 하는 선수들이 너무나 불쌍해 보였다. 요즘에는 많이 나아졌다고 하지만 정말 너무나 슬픈 일이라고 생각한다.

수년이 지난 지금 생각해도 다 큰 성인을 그렇게 두들겨 패는 건, 그것도 프로 농구단 코트 안에서 일반 시민들이 지켜보는 가운데 그러한 일이 일어났다는 것은 정말 믿을 수 없는 일이다. 지위를 이용해 일방적인 폭력을 가하는 감독의 모습을 떠올리면 한국의 (일부) 체육계가 과거엔 어땠을지 도무지 상상조차 가질 않는다.

내부에서 도움을 요청하기는 쉽지 않을 것이다. 내부 고발자로 낙인찍히면 그 바닥을 떠나야하기 때문에 선불리 움직일 수 없다는 것을 이해한다. 때문에 외부의 감시가 무엇보다 중요하다. 선후배간 위계로 인한 대접 문화를 단시간에 없앨 수는 없겠지만, 적어도 언어폭력, 물리적 폭력에 대해서는 단호하게 대처해야 한다. 언론, 일반 시민 모두가 더 이상 관행이란 이름으로 폭력이 행사되지 않도록 방패막이 되어 주어야 한다. 요즘엔 누구나 스마트폰을 들고 다니기 때문에 현장에서 증거를 수집하는 것도 그리 어렵지 않다. 폭력이 수반된 관행을 적극적으로 외부에 알리고 이를 이슈화 시키는 데에 우리 모두가 작은 도움을 주었으면 한다. 모르는 척하는 것은 결국 동조하는 것과 다를 바가 없다. 좀 더 나은 세상을 만들기 위해 이 정도는 할 수 있지 않은가?

소신과 강단

합리적으로 행동하겠다는 소신과 이를 위해 불편한 상황에 맞설 수 있는 강단이 필요하다. 월급을 받으며 일하는 공간이 아니라면, 기껏해야 누군가가 나를 좋아하지 않게 되는 것이 손해의 전부이다. 그러니 한국식 서열 문화가 비합리적이라고 생각한다면 개별 주체인 성인으로서 자신의 입장을 분명히 밝히고 따를 수 없다고 말하면 된다.

예를 들어, 갓 성인이 된 대학교 1, 2학년생을 대상으로 학과 선배들이 소위 군기를 잡는 경우가 있다. 위계를 강조하고 심지어는 물리력을 행사하는 최악의 경우도 있을 수 있다. 이 경우 최대한 냉정하고 침착하게 응대하되 언어폭력이 발생하는 등 일정 수위를 넘는 경우엔 법적인 조치를 취하면 된다. 우리나라는 법치국가다. 사회적 합의인 법을 어기지 않는 이상 그 누구도 여러분들에게 이래라 저래라 강요할 수 없다. 문제가 생겼을 때 법의 테두리 안에서 해결하는 법을 배워야 한다. 신고는 나쁜 것이 아니다. 적극적으로 자신을 방어하고, 합리적인 삶을 영위하기 위해 가까이 해야 할 수단이다.

깡다구가 있어야 한다. 그리고 만일의 사태에 대비하여 자신을 보호할 수 있는 제도적 장치가 어떠한 것들이 있는지 미리미리 공부해야 한다. 법의 테두리 안에서 자신을 보호하기 위한 그 어떠한

노력도 게을리 해선 안 된다. 배우지 못했다면 스스로 깨우쳐야 한다.

때론 두렵고 불편한 상황에 맞닥뜨리게 될 수도 있다. 하지만 철저히 합리성으로 무장한다면 그 상황 밖의 수많은 사람들로부터 지지를 얻고, 법과 제도로부터 보호를 받을 수 있다. 비합리적인 기득권을 누리는 자들로부터 자유롭고 싶다면 일단 소신을 갖고 강단 있게 행동해야 한다. 그리고 조곤조곤 합리적으로 반박할 수 있는 능력을 키워야 한다. 대한민국 법조항 어디를 찾아봐도 서열 문화를 조장하거나 이에 동조하는 문구는 없다.

"우리 때는 안 그랬는데 요즘 애들은 싸가지가 없다."는 말을 하는 사람들이 있을 것이다. 과거에 그네들이 (한국식 서열이 높은) 누군가를 대접했듯이 이제는 그들이 대접을 받아야 한다는 생각을 우회적으로 표현하는 것이다. 보다 직접적으로 얘기하면, 자신들은 꼬붕 노릇을 했지만 요즘 애들은 그렇지 않다는 걸 구차하게 하소연하듯 내뱉는 말이다. 그런데, 하소연을 하려거든 그 사람들이 대접해 주었던 사람, 즉 그들의 주인에게 가서 해야 한다. 요즘 애들은 어차피 시간이 지나도 그런 대접 못 받으니까. 그네들이 아무리 손해라고 주장하더라도 그것은 비합리적인 기득권에 저항하지 못한 대가를 치르는 것일 뿐이다. 좀 더 정확하게는 손해가 아니라 잘못된 것을 바로 잡는 것이다.

Tit-for-tat

죄수의 딜레마 게임을 통해 소개된 Tit-for-tat 이란 전략이 있다. 이는 보통 국제경영이나 전략경영 등에서 많이 소개되는 게임 이론 중 하나이며 상당히 효과적인 전략으로 알려져 있다. 전략 자체는 굉장히 단순하며 다음 4가지의 행동 양식으로 이루어져 있다.

첫째, 일단 상대방을 믿고 협조하라. (신뢰)
둘째, 상대방이 협조한다면 계속 협조하라. (유지)
셋째, 만약 상대방이 배신하면 같이 배신하라. (보복)
넷째, 배신한 상대방이 협조하면 다시 협조하라. (관용)

마치 함무라비 법전의 탈리오 원칙 '눈에는 눈, 이에는 이'와 비슷한 개념이다. 이타적인 전략이 아닌 꽤나 합리적인 전략이란 걸 직관적으로 알 수 있다. 무한 보복의 악순환에 빠질 위험이 있긴 하지만 어쨌든 한 개인의 입장에서 보면 먼저 호의를 베풀며, 용서 또한 빠르기에 결코 이기적인 전략이라고 할 수 없다. 게임 이론의 유효성을 검증할 때 몇 가지 구속조건이 따르긴 해도 어쨌든 승률까지 높다고 하니 합리적이면서 실용적인 전략이라 할 수 있다.

이와 비슷한 맥락으로, 애덤 그랜트의 저서 'GIVE and TAKE'를 보면 기버(giver), 매처(matcher), 테이커(taker)란 말이 나온다. 일터에서 남을 대할 때 기버는 받은 것보다 더 많이 주려는 사람,

매처는 받은 만큼만 주려는 사람, 테이커는 주는 것보다 더 많이 받으려는 사람을 의미한다. 대부분의 사람들은 매처의 성향을 띠게 되는데 이는 충분히 예측 가능한 결과이다. 흥미로운 건 거의 대부분의 기업과 직종에서 가장 낮은 성과뿐만 아니라 가장 높은 성과를 낸 사람들 모두가 기버였다는 사실이다. 기버에는 두 가지 종류가 있는데, 하나는 이타적이기만 한 기버(selfless giver), 다른 하나는 이타적이지만 동시에 자신의 이익을 챙길 줄 아는 기버(otherish giver) 이다. 이 중 후자는 이타적인 자세로 관계를 시작하지만, 상대가 자신에게 해가 될 수 있는 테이커임이 분명해지면 자신의 이익을 보호하기 위한 전략을 사용하기 시작한다. 즉, 이타적이기만 한 것이 아니라 자신의 이익 또한 소중히 여길 줄 아는 것이다. 결과적으로 자신을 돌볼 줄 아는 기버가 장기전에서 최고의 성과를 창출했는데, 이는 자신을 배반한 상대에게 한두 번 정도는 더 기회를 주는 너그러운 Tit-for-tat 전략과 그 맥락을 같이 한다.

밥벌이와 직접적으로 관련된 영역이 아니라면, 서열 문화를 당연시하는 또는 강조하는 사람과의 관계에서도 위와 같은 전략을 사용할 수 있을 것이다. 비합리적인 서열 문화에 동조할 수 없음을 직·간접적으로 밝힌 후, 처음엔 성인간의 예의를 지키며 적당한 거리를 유지한 채 대화를 나눈다. 이 때, 자신은 서열 문화에 동의하지 않을 뿐, 좋은 관계를 맺기 위해선 최선을 다할 수 있다는 호의적인 입장을 분명하게 전달한다. 이후 상대방이 한국식 서열 관계를 강요하는 지 등을 살펴가며 Tit-for-tat 방식으로 상대방과의 연락을 유지하거나 끊게 되면 자연스럽게 서열 관계에 대한 자신의 철학을 전달할 수 있게 될 것이다. 한국식 서열 문화가 몸에 밴 사람들이 워낙 많기 때문에 단번에 관계를 정리하는 것 보다는 너그러운 Tit-for-tat 전략을 사용하여 몇 차례 여지를 주는 것이 관계의 손실을 최소화 하는데 도움을 줄 수 있을 것이다.

사실 이것보다 더 어려운 문제는 기존에 맺은 인간관계를 어떻게 풀어 가느냐 하는 것인데, 이는 본인의 상황에 따라 시간을 두고 적절하게 타협점을 찾는 과정이 필요하다. 늘 깍듯하게 서열 대접을 해주던 사람에게 갑자기 동등한 관계를 요구할 수도 없고, 항상 커피나 밥을 사주던 동생들에게 이제부터는 더치페이를 하자고 할 수도 없는 노릇이다.

자신 또는 타인이 극도로 불편함을 느끼는 상황이 아니라면 점진적인 변화를 시도하는 편이 좋다. 급하게 서두를 필요 없이 조금씩 무게 추를 당기거나 밀어내면서 합리적인 타협점을 찾아가려고 하면 그것으로 충분하다. 시간이 오래 걸릴 수도 있고 좀처럼 변화되지 않을 수도 있다. 중요한 건, '공과 사의 분리'와 '관계 속에서 불편함을 느끼는 사람이 있어서는 안 된다'라는 것이다. 이 두 가지 원칙만 지켜낼 수 있다면 인간적인 관계에서건 비즈니스 관계에서건 다른 것은 그리 크게 문제가 되지 않는다.

내가 말하고자 하는 핵심은 이렇다. 1) 공과 사는 가급적 철저하게 분리되어야 한다. 회사에서라면 직급이 높은 사람의 행위 모두가 마치 공적인 일인 것처럼 둔갑해서는 안 된다. 서열 문화로 인해 공과 사의 경계가 모호해지는 일은 없어야 한다. 2) 공적인 영역이든 사적인 영역에서든 사람 사이의 관계만으로 불편함을 느끼는 사람이 있어선 안 된다. 서열 나누기가 불편한 사람은 언제든 거부권을 행사할 수 있어야 하며, 그 누구도 여기에 간섭할 권리는 없다. 즉 한국식 서열 문화가 싫은 사람은 언제든 거기에 따르지 않을 수 있어야 한다.

삐딱선 곡예

형, 누나, 오빠, 선생님 등의 호칭을 사전적 의미 이상으로 확대 해석할 필요 없다. 국어사전을 찾아보면 형이란 1) 같은 부모에게서 태어난 사이이거나 일가친척 가운데 항렬이 같은 남자들 사이에서 손윗사람, 2) 남남끼리의 사이에서 나이가 적은 남자가 나이가 많은 남자를 정답게 이르거나 부르는 말로 정의되어 있다. 그런데 실제로는 형이라고 부르는 동시에 서열 관계가 형성되기 때문에 뭐라도 대접을 해야 할 것 같은 부담감이 생기는 경우가 많다. 하다못해 인사라도 먼저 하거나, 무엇인가를 고를 때 우선권을 양보해야만 할 것 같다. 하지만, 인사는 반가움의 표시이며, 양보는 보통 약자에게 하는 것이다. 자유 의지에 따른 선택의 문제를 두고 부담을 느낄 필요는 전혀 없다.

나 또한 한국에서 나고 자랐으며, 현역으로 군대를 다녀왔기에 한국 사람들이 느끼는 그 무엇인가를 잘 알고 있다. 부담을 느낄 필요가 없다고 말은 하고 있지만, 실제로 그렇게 행동할 경우 주변 사람들이 어떤 뒤 담화를 할지도 잘 안다. 하지만, 계속해서 인간적인 높낮이를 따지려고 하면 결코 서열 문화에서 자유로워질 수 없다. 내 경우 상대방의 나이나 사회적 직위에 관계없이 먼저 가볍게 목례를 한다. 이 때 고개를 숙이는 각도는 사람에 따라 차등을 두지 않으며, 악수를 해야 하는 경우라면 가급적 두 손으로 한다. 또한, 웬만해선 우선권에 대해 그다지 관심을 갖지 않으려고 노력한다. 다시 말해 서열을 가르지 않고 적당히 거리를 둔 채 모두를 대우하는 것이다. 하지만, 누군가가 서열을 앞세워 사적인 영역까지 무턱대고 넘어오면 그것에 대해선 분명하게 거부 의사를 밝힌다. 이는 특별한 경우가 아닌 이상 일터에서도 마찬가지이다. 나는 그렇게 해야 조금이나마 굽실거리는 느낌에서 자유로울 수 있었던 것 같다. 물론 자유와 평등의 가치가 훼손되지 않는 선에서 앞으로도 (상황에 따라) 다양한 대처 방안을 시도할 생각이다.

이렇듯 삐딱선 곡예는 아주 작은 것에서부터 시작할 수 있다. 자신이 감당할 수 있는 범위를 이해하고 그 안에서 최대한의 합리성을 추구하면 된다. 단, 기회가 주어진다면 자신이 왜 남들과 다르게 행동 하는지 가끔씩은 설명 해 줄 필요가 있다. 물론, 이를 받아들이는 것은 온전히 상대방의 몫이겠지만 정당한 명분이 있다는 것을 알리는 행위는 그 자체만으로도 중요할 수 있다. 지금 나의 행동이 누군가를 기분 나쁘게 할 수도 있지만, 그것이 정당하고 합리적인 명분 아래 행해진 것이라면 언젠가는 공감을 얻게 될 수도 있다. 내가 지금 이렇게 무거운 마음을 이끌고 책을 쓰는 것도 그러한 이유와 무관하지 않다.

사실 주장의 핵심은 원치 않는 사람들에게 한국식 서열 문화를 강요하지 말란 것이다. 마음이 맞는 사람들끼리 자발적으로 형님, 동생하면서 우애를 다지는 행위를 비판하는 것이 아니다. 사적인 영역에서는 충분히 그럴 수 있다. 본인들 자유다. 하지만 어떠한 경우에도 원치 않는 사람을 끌어 들여 괴롭히거나, 직장 등 공적인 영역에서 한국식 서열 관계를 강요해서는 안 된다. 서열 식 계층 구조에서는 공과 사가 구별되는 것이 내재된 속성상 어려우며, 때문에 공과 사의 경계가 무너지지 않도록 비합리적인 기득권에 저항할 수 있는 대항력을 반드시 마련해야 한다.

단순히 직급이 아닌 사람 간의 높낮이가 존재하고, 그에 따른 대접 문화가 횡행한다면, 어디에서든 자연스럽게 밀어내기가 발생할 확률이 높다. 공과 사가 무너지고, 패거리 문화가 판을 치게 되며, 세련된 토의나 토론이 어려워질 수 있다. 공적인 일로 토의를 할 때 직급에서 차이가 나면 자신의 의견을 말하기 어려운 경우가 상당히 많다. 그런데, 여기에 인간적 서열에서까지 밀린다면 과연 제대로 말을 할 수가 있겠는가? 더 큰 문제는 사적인 얘길 나누거나 사적인 일을 함에 있어서도 아무런 거리낌 없이 성인 간의 경계가 무너진다는 것이다. 짬밥에서 밀리는데 별 수 있겠는가? 누.구.든. 내가 상대 보다 인간적으로 우위에 있다고 생각하는 것은 옳지 않다.

자유는 거저 얻을 수 있는 것이 아니다. 삐딱선을 타는 것을 두려워해서는 안 된다. 그들은 우리가 가는 길을 삐딱선이라 부르겠지만, 정작 비뚤어진 건 우리의 것이 아닌 그들의 길이다. 글을 쓰는 지금도 한국적 정서가 짙게 베인 내 머릿속은 딜레마로 가득 차 있지만, 그래서 때론 고통스럽기도 하지만, 원래 서커스는 힘든 법.

참고로 '삐딱선 곡예'의 영문 타이틀은 'Acrobatics on a crooked line' 이다.

제4장 자유, 언제 만날 수 있나?

그리운 심즈베리

수평적 인간관계를 맺을 수 있어야 서열 문화에서 자유로울 수 있다. 내 경우엔 그러한 형태의 자유로움을 태평양 건너 미국에서 느낄 수 있었다. 그래서인지 지금도 가끔씩 미국 커넥티컷주에서 방문 연구를 하던 때가 생각난다.

그곳에 일 년 동안 머물렀지만 한국 사람은 거의 보지 못했다. 도착한지 6개월이 지난 후부터 영어회화 수업을 듣기 시작했었는데 그 때 만난 한국인 대여섯 명 정도가 내가 아는 전부이다. 당연히 미국에 거주하는 동안은 고개를 숙여 인사하거나 몸을 움츠려 낮은 자세를 취한 적이 거의 없다. 별것 아니지만, 이 작은 변화 하나가 나에겐 얼마나 큰 기쁨이었는지 모른다.

대학 연구실이든 집(Simsbury) 주변이든 온전히 성인 대 성인으로서 현지인들과 대화할 수 있었다. 그 누구도 나에게 나이를 묻지 않았고, 높낮이를 구분하려 하지도 않았다. 나이가 많거나 지위가 높다고 해서 대접을 받으려는 사람도 없었고, 한국식 예절에 따라 기계적으로 허리를 굽히는 사람도 없었다. 멋쩍은 웃음을 지으며 굽실거리는 모습을 많이 볼 수 있는 한국의 일상과는 분명 달랐다. 그래서인지 내 머릿속에는 정말로 좋은 기억들이 가득 차 있다.

만약 커넥티컷주에 보금자리를 마련해야 한다면 심즈베리를 추천

한다. 이유는 1) 공항에서 15분 거리이며, 2) 안전하고, 3) 각종 상점 및 이벤트가 열리는 메인 광장에 가까우며, 4) 도서관(Simsbury Public Library)의 다양한 서비스를 이용할 수 있고, 5) 대부분의 현지인들이 친절하기 때문이다.

공동 연구를 수행하던 교수님께서 종종 저녁 식사에 초대해 주셨기에 가끔씩 댁을 방문했었다. 교수님은 슬하에 4명의 자녀를 두고 계셨는데 그 중 맏이는 13살짜리 남자 아이였다. 맏이를 포함한 꼬마 친구들은 모두가 명랑하고 활발했으며, 손님인 나와도 아무런 거리낌 없이 재미있게 어울렸다. 아이들은 내가 그들과는 다른 성인(grown-up)이란 걸 이해하고 있었지만, 딱히 조심해야 하거나 어려워해야 할 대상이라고는 생각지 않았다. 물론 아직 아이들이라서 그런 것도 있었겠지만, 그들의 나이가 열 살쯤 더 많았다고 하더라도 관계의 분위기는 그리 크게 다르지 않았을 거다.

그곳에 머무는 동안 현지인들에게 한국어를 가르쳐 주었다. 걸 그룹 또는 드라마를 보면서 한국에 대한 호기심을 갖게 된 미국인들을 만날 수 있었고, 그들이 기초 수준의 한국어를 배울 수 있도록 열심히 도와주었다. 그 중 D○○라는 이름의 한 여성은 드라마 '꽃보다 남자'의 광팬이었는데, 한국 방문을 계획하고 있어 한국어 배움에 꽤나 열정적이었다. 우리는 주말마다 한국어 공부를 하고, 주변 음식점에서 함께 식사도 했었는데, 그러다보니 자연스럽게 친구가 되었다. 사실 한국식 관점으로 보면 관계를 정의함에 있어 친구라는 단어를 사용하는 것이 조금 어색할 수도 있을 것 같다. 내 위로 강산이 족히 두 번은 변했을 정도의 나이 차이가 나기 때문이다. 하지만 분명한 건, 우리는 여전히 서로의 공부에 도움을 주는 좋은 친구이다.

이렇듯 미국에선 다양한 연령대의 사람들과 허물없이 친구가 될 수 있었다. 더욱더 놀라운 점은, 생전 처음으로 다음과 같은 말까지 들을 수 있었단 것이다. 그것도 수차례나.

“동양인 중에 당신처럼 잘 웃는 사람을 여태껏 본 적이 없네요.”

사실 처음엔 말(영어)을 잘 못 알아들어서 웃었다.

전략적 탈피

상성이란 것이 있다. A가 B 보다 우위에 있고, B는 C 보다 우위에 있지만, 아이러니하게도 C가 A 보다 우위에 있을 수 있다. 마찬가지로 인생을 살아가는데 있어 내성적인 성격이 경우에 따라 좋을 수도 있고 나쁠 수도 있지만, 상성상 한국식 서열 문화에는 맞지 않다. 좀 더 정확하게 얘기하면 서열 문화를 근간으로 하는 플랫폼 하에서는 외향적인 성격에 비해 불리하다. 특히 소심하기까지 한 내성적인 사람들에겐 한국식 서열 문화를 견디어 내는 것이 정말 고역일 수 있다

한국식 서열 문화를 따르는 조직 내의 구성원들을 살펴보면, 간혹 서열이 높지 않음에도 불구하고 별다른 스트레스를 받지 않으며 넉살 좋게 웃으며 지내는 사람들을 발견할 수 있다. 그들은 대체로 인사를 잘하고, 목소리가 크며, 말을 잘한다. 무엇보다 조직의 생리를 잘 이해하고 있어, 위기의 상황에서도 특유의 입담으로 구렁이가 담을 넘어가듯 그 상황을 모면하곤 한다. 주로 외향적이고 활발한 사람들이다. 그들은 때때로 상사나 연장자에게 반말을 섞어가며 얘기하고, 본인이 불리할 때는 적극적으로 분위기 반전을 시도한다. 그만큼 서열 문화의 생리를 잘 이해하고 있기에 가능한 일이다.

반면, 강압적인 분위기나, 조직 내 서열 관계 때문에 늘 주눅이 들

어 있는 사람도 있다. 그들은 대체로 말수가 적고, 조심성이 강하다. 상사와 얘기할 때 연신 허리를 굽히며 대답을 하고, 불합리한 상황에서도 자신을 방어하기 보단 서열 관계에 순응한다. 주로 내성적이고 소심한 사람들이다.

문제는 소심하고 내성적인 사람들이 불합리한 상황에서 주로 희생양이 된다는 것이다. 외향적인 사람이 뻔뻔함을 갖춘 경우, 본인에게 불리한 상황을 타개하기 위해 서열 관계에 순응하는 내성적인 사람들을 이용하는 경우가 많다. 보통 은근슬쩍 웃으며 자신의 짐을 상대에게 미루는데, 서열이 조금이라도 낮은 소심한 사람들은 싫은 내색도 하지 못한 채 그저 속을 끓이게 된다. 이것이 외향적 성향의 교활한 사람들이 내성적 성향의 순진한 사람들을 찾는 본질적 이유이다.

상성상 이길 수 없는 게임이란 걸 받아들일 필요가 있다. 변화하지 않으면 손해를 볼 수밖에 없다는 사실을 인정하고, 스스로 탈피해야 한다. 그래야 제한적이나마 자유로움이란 감정을 되찾을 수 있다. 소심하고 내성적인 성향을 단 시간 내에 바꿀 수는 없겠지만, 적어도 부당한 압력으로부터 자신을 방어할 수 있도록 대비해야 한다.

목소리를 조금 키우는 것이 변화의 시발점이 될 수 있을 것이며, 분명한 의사 전달을 위해서도 효과적일 수 있다. 그리고 부당한 밀어내기를 당했을 때는 되받아치거나 다른 사람에게 떠넘기지 말고, 리더를 포함한 구성원 전체에게 무엇이 공평한 방법인지 질문을 던지는 것이 좋다. 항상 기준이 무엇인지를 환기시키며 얘기해야 논리싸움에서 지지 않을 수 있다. 내성적이라고 해서 가만있으면 아무도 나서서 대신 해결해 주지 않는다. 스스로 말하고 행동해야만 자신을 지킬 수 있다. 자기변화의 필요성은 비단 서열 문화에만 국한되는 것이 아니다. 언제, 어디에서든 상황에 따라 변화무쌍하게 자신을 변화시킬 수 있어야 끝까지 살아남을 수 있다.

내려놓음

먼저 내려놓아야 자유로울 수 있다. 후배 또는 자신보다 아쉬운 쪽에 있는 사람들에게 대접 받으려고 하지 말아야 한다. 나에게 먼저 인사하길 바라고, 내 앞에서 공손하길 바라고, 나를 챙겨주길 바라는 그 심보의 원천이 어디인지 잘 생각해 보아야 한다. 자신을 낮추라는 말이 아니다. 나와 남이 평등한 성인이며, 동등한 인격체란 걸 인정해야 보다 나은, 발전된 단계로 나아갈 수 있다는 것이다.

TV를 보면 가끔씩 누구누구 선배님이 어렵다거나, 무섭다는 표현을 쓰는 연예인들을 자주 볼 수 있다. 이 바닥에서 살아남으려면 어려워해야 한다는 거다. 그런데, 같은 성인끼리 누가 누굴 어려워하고 몸을 움츠려 높이에 굴종하는 모습을 보이는 것이 정상적인 관계인가? 설령 마음 깊은 곳에서부터 존경하는 마음을 갖고 있다 하더라도 그런 식으로 그것을 표현하는 것은 지극히 동물적인 방식이다.

말로만 자유와 평등을 외치지 말고 직접 실천해야 한다. 과감하게 자신의 꼬붕들을 해방시켜야 한다. 그래야 본인 또한 자유로워질 수 있는 자격이 생기는 것이다. 물론 자신은 해방되지 못할 수도 있다. 아마 대부분의 경우에 그럴 거라고 생각한다. 그래서 자연스레 자신의 꼬붕들을 놓아주는 것이 손해 보는 장사란 느낌을 받게 될 것이다. 그런데, 가만 생각해보면 꼬붕들을 해방시키는 것은 뭐 그리 대단한 것이 아니다.

공과 사를 구별하고, 자신의 일은 본인이 직접 하며, 지나친 대접은 정중하게 거절하는 것 그것이면 족한 것이다. 그것이 모두가 자유로워질 수 있는 가장 빠른 지름길이다. 더 이상 서열을 기반으로 하는 계급주의(Korean hierarchy) 풍토를 좌시해서는 안 된다. 누군가 자신을 어려워한다면 행여 본인이 꼰대 짓을 하고 있는 것은 아닌지 뒤돌아 봐야 한다. 쿨(cool)하게 내려놓길 권한다.

해방시키라고 말은 하고 있지만 원래부터 당신의 것이 아니었으니 아쉬워할 필요 없다. 더 이상 '밀어내기'의 유혹에 빠져서는 안 된다. 무심코 서열 대접을 받는 순간, 누군가가 당신으로부터 더 큰 대접을 기대한다는 것을 알아야 한다. 더 이상 굽실거리는 것을 원치 않는다면, 미련 없이 놓아주길 바란다. 그래야 자유로워질 수 있다.

평생직장

"평생직장은 없다."라고 생각해야 자유로울 수 있다. 여기 아니면 안 된다고 생각하는 순간 스스로에게 족쇄를 채우는 꼴이 된다. 월급을 받으며 회사를 다닌다는 건 피고용인 신분이란 걸 의미한다. 피고용인이라고 해서 아무런 선택권이 없는 것은 아니지만, 회사를 운영하는 본질적 주체가 아니기에 인사 및 고용에 관한 최종 결정권은 가질 수 없다.

현재의 자리에선 프로다움만 유지하면 된다. 일한 만큼 받고, 받은 만큼 일한다는 생각을 하되, 기회가 되면 이직 또는 창업할 수 있다는 생각을 하는 것이 좋다. 그래야 아쉬운 쪽에 서지 않을 수 있다. 세상은 그리 만만하지 않다. 등을 보이는 순간, 약점을 보이는 순간 이를 이용하려는 자들이 주변 곳곳에서 몰려들 것이다.

평생직장을 꿈꾸는 것 보다는 수익모델을 다양화 시키고, 본인의 전문성을 키워 몸값을 높이는 것이 중요하다. 안정을 찾기 보다는 도전을 꿈꾸는 것이 낫다. "살고자 하면 죽고, 죽고자 하면 살 것이다." 란 말이 지금 상황에 꼭 들어맞는 것은 아니지만, 비정상적인 서열 문화가 고착되어 승냥이 떼가 득실대는 판에서는 위험을 감수해야 한다. 그래야만 삶의 주체로서 진정한 자유로움을 얻을 수 있다.

'Me before you' 란 영화를 본 적이 있다. 당시 워낙 강렬한 느낌을 받았기에 지금까지도 기억에 남는 대사가 있다.

"You only get one life. It's actually your duty to live it as fully as possible."

"Push yourself. Don't Settle. Just live well. Just L.I.V.E."

재미있게 본 영화다. 존엄사(尊嚴死, death with dignity)를 다룬 영화인데, 사실 여자 주인공이 너무 귀여워서 깊은 생각을 하면서 보지는 못했다. 노랑색 줄무늬 스타킹을 선물로 받고 방방 뛰며 좋아하던 여자 주인공의 모습이 특히 기억에 남는다.

모난 돌의 연대

모두가 “No”라고 하는데 “Yes”라고 하는 사람, 또는 모두가 “Yes”라고 하는데 혼자서만 “No”라고 하는 사람을 우리는 모난 돌이라 부른다. 간단히 말해 서열 문화의 굴레 속에서도 자신의 생각을 분명하게 표현하는 사람을 의미한다. 혹자는 “모난 돌이 정 맞는다.”라는 문구를 예로 들며 어리석은 사람이라 폄하하기도 하지만, 적어도 비겁하지 않은 사람임에는 분명하다.

실제로 직상 생활을 하면서 “모난 돌이 정 맞는다.”란 말을 꽤나 많이 들었다. 그리고 그 말 뒤에는 “난 처자식이 있어서 그렇게 말 못한다.”란 말이 항상 쌍둥이처럼 붙어 다녔다. 그 때는 비겁한 인간들이라 생각했는데, 지금은 일면 이해가 된다.

보통 모난 돌들은 정을 맞으며 다듬어지거나, 밖으로 튕겨져 나간다. 그것이 우리 사회의 현실이다. 정을 맞지 않은 사람들은 다행이다 생각하며 스스로를 위안하겠지만, 모난 돌이 생존할 수 없는 곳은 건강한 환경이 아니다. 결국 서열이 낮은 사람들 모두가 고통받는 생태계일 뿐이다.

모난 돌은 모난 돌끼리 연대해야 한다. 모난 돌의 주장에는 동조하지만 피해를 보는 것이 두려워 앞장설 수 없는 사람들의 경우엔 적어도 격려의 말이라도 던져야 한다. 누군가 비합리적인 기득권에 저항하며 자신을 포함한 약자를 위해 싸우는데, 옆에서 구경만 하는 것은 인간된 도리가 아니다. 돌멩이라도 주워 나르는 것이 바른 이치일 것이다. 이 글을 읽는 누구든 모난 돌들이 스러지지 않도록 조금이나마 힘을 보태 주길 바란다.

누구나 모난 돌이 될 수 있는, 그래서 모난 돌이란 말이 무색하게 되어 버린 그런 환경을 만들어야 한다. 그래야 모두가 자유로워 질 수 있다. 지금은 한국식 서열 문화가 자유와 평등이란 기본적 가치를 사방에서 짓누르고 있는 형국이다. 돈과 권력 앞에서 당당하고 싶다면, 먼저 줏대 있게 합리성을 추구하는 사람들을 뒤에서 응원하고 나아가 연대해야 한다. 그리고 난 후에 그들의 발자취를 천천히 좇아가면 된다.

어쩔 수 있음

어쩔 수 없다고 생각하는 사람은 결코 자유로울 수 없다. 한국의 서열 문화는 어쩔 수 없는 것이 아니다. 사회 관습이란 미명하에 서열 매기기가 행해지고 있지만, 구속력이 있는 모든 법과 제도는 자유와 평등의 가치에 기반하고 있기 때문에 그렇게 불리한 상황이라고만은 할 수 없다. 다수의 사람이 바뀌면 바꿀 수 있는 것이다. 끊임없는 문제제기를 통해 보다 합리적인 방향으로 변화시킬 수 있도록, 그래서 모든 사람이 인간관계의 자유로움을 누릴 수 있도록 만들어야 한다.

자존감

자존감이란 스스로 품위를 지키고 자기를 존중하는 마음이다. 자신의 본성이 무엇인지, 개성이 어떠한지, 그리고 자신의 한계가 어디까지인지를 스스로 알고, 그 모든 것을 포용하며 자신을 있는 그대로 인정하고 사랑하는 마음이다. 현대 사회를 살아가는 사람들에게 가장 필요한 덕목이 아닌가 싶다.

대중들과 소통하는 많은 지식인들이 자존감의 중요성에 대해 언급하고 있다. 참고로 유튜브(YouTube)에서 '자존감 강의/강연' 등을 키워드로 검색하면 자존감에 관련한 다양한 강연들을 볼 수 있다.

우리나라 국민 모두에게 이러한 자존감이 있었다면 지금과 같은 방식의 한국식 서열 문화는 존재하지 못했을 거라 확신한다. "직무상의 지시 체계는 따르되, 사람간의 높낮이는 없다."라는 마음가짐(mindset)이 중요하다. 우리들은 서로가 서로를 존중해야할, 그리고 동시에 존중받아야할 동등한 인격체이다. 자본주의를 움직이는 실체가 아무리 돈과 권력이라 하지만, 그 가치를 우리들의 인격 위에 놓아서는 안 된다.

편협하지 않은 제대로 된 자존감이 있다면 이미 자유로운 사람이다. 한국식 서열 문화의 굴레에서도 스스로 잘 헤쳐 나갈 수 있을 거라 확신한다. 자존감을 확립해 나가는 과정에서, 또한 그 이후에도 많은 어려움이 있겠지만 그것이 자유로워질 수 있는 가장 빠르고 정확한 방법이다. 자유로움을 품고 있는 품격 있는 사람의 폴더 인사는 결코 굽실거림이 아니다.

제5장 기타, 안타까운 한국 문화와 시스템

단기성과 지상주의

창의적 아이디어와 기술력을 쌓기 위해선, 연구의 본질적 속성을 인정하고, 신뢰 기반의 수평적 연구 문화 확산을 주도해야 한다. 창의를 지향하면서 압박을 가하는 형태의 평가 제도나 분위기는 결국 Follow-up research 패러다임을 벗어날 수 없게 만드는 장애물이 될 것이다. 기술을 선도하거나, 패러다임을 바꾸는 수준의 관점에서 볼 때, 연구는 사실상 수많은 시도 끝에 노력과 운이 겹쳐 소수의 것들만이 빛을 보는 성격이다. 모두를 압박하여 경쟁적인 분위기를 조성한다고 하더라도 결국 우리가 원하는 수준의 창의적 결과물이 발생될 확률은 그리 크게 달라지지 않거나 오히려 낮아질 것이다. 연구라는 분야에선, 연구자들을 믿고 기다려 주는 것이 필요하다. 채찍보다는 당근 정책을 쓰는 것이 효과적이며, 연구자의 다양성을 인정하고, 그들이 열심히 연구할 것임을 믿어 주는 것이 가장 중요하다.

직·간접적으로 경험해 본 바에 의하면 정말로 연구의 속성이 그렇다. 자꾸만 도덕적 해이를 문제 삼으며 단시간에 성과를 내라고 압박하면 제대로 된 연구를 수행하기 힘들다. 차라리 최소한의 급여를 주며 신분 보장을 해주고 (일정기간 동안 기다리면서) 성과를 내는 경우에만 확실하게 보상을 해주는 편이 낫다고 생각한다.

연구 분야에 종사하고 있는 사람이라면, 한국의 (빨리빨리) 시스템이 얼마나 당장의 성과에만 목매고 있는지 잘 알고 있을 것이다. 이는 수익 창출이 목적이 아닌 공공 연구기관에서도 마찬가지이다. 패러다임을 바꾸어 세계를 선도할 수 있을 만한 원천적인 연구 결과를 원한다면 기다려주어야 한다. 물론, 수십 년을 기다려도 빛을 보지 못할 수 있고, 일부 연구원들은 나태해질 수도 있다. 그렇지만, 그러한 부작용은 일정 부분 감수해야 한다. 연구란 분야의 속성상 다른 지름길을 찾는 것은 그리 쉬운 일이 아니다.

국가연구개발 사업의 높은 성공률

연구(Research)는 공사(Construction)가 아니다. 주어진 시간 동안 원하는 목표치를 달성했는지를 기준으로 성공과 실패를 나누는 것은 적절하지 않다. 연구는 결과뿐만 아니라 과정도 의미가 있는 창의적인 활동이다. 즉, 목표를 달성하기 위한 검증된 매뉴얼이 존재하지 않는 새로운 시도이다. 때문에 목표를 달성하지 못했다고 하더라도 그 간의 연구 결과와 노하우는 다음 연구를 위한 디딤돌이 되거나 다른 연구자들의 연구 방향 설정에 큰 도움을 줄 수 있다. 그렇기에 비록 제안한 기간 내에 목표를 달성하지 못했다고 하더라도 이를 곧바로 실패라 규정하는 것은 합당하지 않다. 물론 중간 평가 결과에 따른 연구비 지급 중단이나 연구자 스스로 포기하는 경우가 있을 수 있다. 하지만 그러한 경우에도 충분히 의미 있는 과정을 밟고 그에 따라 결과를 체계화 했다면 섣불리 실패로 규정하거나 불이익을 주어서는 안 된다. 다시 말하지만 연구의 본질적 속성을 이해해야 한다.

우리나라에도 '성실실패 용인제도'란 것이 있다. 하지만, 국가연구개발 사업의 성공률은 늘 90%를 상회한다. 여러 이유가 있을 수 있겠지만, 결국 실패로 인한 불이익이 두려워 도전적이거나 창의적인 연구를 수행하기 꺼려한다는 것이다. 다시 말해, 이미 해봤거나, 워낙 잘 알고 있어 충분히 성공할 만한 과제만 신청하고 있으며, 또한 그러한 과제 중심으로 선정이 되고 있다는 것이다. 물론 연구의 성격에 따라 성공률이 높을 수밖에 없는 경우도 있긴 하지만, 아무리 이를 고려한다고 하더라도 연구자들이 지나치게 움츠러들어 있다는 사실을 부인하긴 어렵다. 국가적 차원에서 보면 정말 안타까운 일이 아닐 수 없다. 어떻게 연구 분야에서조차 이런 현상이 발생하고 있는 것인지 이해하기 어렵다.

국가연구개발 사업의 효율성 제고 보다는 먼저 실질적 연구 환경 조성에 초점을 맞추어 정책을 수립해야 한다. 연구자들이 보다 도전적이고 창의적인 연구에 뛰어들 수 있도록 그 간의 문제점들을 다각도로 분석하여 종합적이고 근본적인 대책을 마련해야 한다.

비신뢰 기반 시스템

대학원을 다니면서 알게 된 친구가 교수로 재직 중인 미국의 모 대학교를 방문한 적이 있다. 당시 그 친구에게 연구/교육 환경에 있어 한국과 미국의 가장 큰 차이점이 무엇이냐 질문을 했었는데, 대답은 의외로 간단했다. 미국은 신뢰 기반으로 움직인다는 것이었다. 규정을 위반한 것이 탄로 나면 분명 커다란 패널티가 주어지지만, 그 전까지는 구성원들 모두가 관련 규정 및 지시사항을 잘 지켜줄 것이라고 믿는다는 것이다. 마치 대중교통을 이용할 때 일일이 탑승권을 검사하지는 않겠지만, 무임승차가 발각되면 백배로 물리겠다는 맥락과 비슷하다.

우리는 다르다. 무엇이든 증빙을 해야 하고, 누군가 부정을 저지른 것이 발각되면 새로운 규제를 만들어 모든 구성원들을 불편하게 한다. 물론, 국민들의 의식 수준이 선진국과는 다르기 때문에 어쩔 수 없는 측면이 있지만, 그래도 배보다 배꼽이 더 커져서는 안 된다. 아무도 읽지 않을 형식적인 보고서를 쓰거나, 자잘한 증빙자료를 준비하느라 업무의 상당 부분을 할애해야 한다는 것은 정말 안타까운 일이다. 지나치게 세분화된 시스템이 오히려 사람들을 불편하게 하고 있다. 연구 영역 등에 있어 자신의 주 업무 대비 행정잡무의 비율을 최대한 낮출 필요가 있다. 보여주기 식 보고서를 요구하거나 필요 이상으로 규제 조항을 추가하는 것 보다는 차라리 부분적으로 암행어사 제도를 도입하는 것이 낫다. 개인의 영달을 위해 고의적으로 부정을 저지른 사람만 솎아내면 되지, 도덕적 해이를 문제 삼으며 모든 사람들을 불편하게 만들 필요는 없다.

많은 사람들이 쓸데없는 보고서와 행정잡무에 대한 불만을 토로한다. 복잡/세분화된 시스템이 오히려 사람들을 옭아매는 형국이다. 도대체 누구를, 그리고 무엇을 위한 시스템인가?

멜랑꼴리한 직장 문화

W○○○○○○○○○란 사이트에서 한국과 미국의 직장 문화에 관한 글타래를 본 적이 있다. 양국 모두에서 근무한 적이 있는 사람들이 두 직장 문화를 비교하면서 자신의 의견을 피력한 내용이었는데, 그 중 한국의 직장 문화에 대한 비판적 의견을 요약하면 다음과 같다.

주된 의견은 지나친 서열 관계, 정치력을 발휘해야 하는 승진, 상사의 눈치를 봐야 하는 퇴근, 의미 없는 야근 등은 지극히 비합리적이다 라는 내용이었으며, 그 밖에도 직장은 업무를 위한 공간이지 친목을 위한 모임이 아니므로 개인적인 경조사에까지 참석하길 기대하는 것은 경우에 맞지 않다는 의견도 있었다. 특히 선진국으로 갈수록 법이 강하고 유도리가 없다는 문구는 무척이나 가슴에 와 닿았다.

회사 내의 특정 권력층이 아닌 구성원 다수의 행복을 꾀할 수 있도록 보다 합리적인 방향으로 그러한 문제점들을 해결해 나가야 한다. 직장 문화가 한국식 서열 문화에 기반하고 있기에 단시간 내에 분위기를 반전시키는 것이 쉽지는 않겠지만 모두가 용기를 내어 문제제기를 시작해야 한다. 대부분의 사람들은 하루의 상당 시간을 직장에서 보낸다. 우리나라 사람들이 더 이상 †멜랑꼴리한 분위기의 회사에서 일하지 않게 되기를 진심으로 바란다.

†멜랑꼴리(Melancholy): 멜랑꼴리는 그리스어로 검은색을 의미하는 멜랑(melan)과 담즙을 의미하는 꼴레(chole)의 합성어로 원래는 검은 담즙을 일컫는 말이다. 요즘은 현대인의 어둡고 우울한 기분을 나타내는 말로 곧잘 사용된다.

업무의 연장인 회식

원칙적으로 회식은 업무의 연장이 아니다. 상사의 대장놀음에 희생양을 만들어서는 안 된다. 회식 참여는 자발적이어야 하며, 불참에 따른 불이익이 있어서도 안 된다. 순기능을 무시하는 것은 아니지만, 어떠한 경우에도 강제성이 부여되는 것은 인정할 수 없다. 수백 가지의 장점이 있다고 하더라도 업무시간 이후에 행해지는 상사와의 술자리는 공적인 자리가 될 수 없다.

'비정상회담'이라는 TV 프로그램에서 조직사회에서의 회식은 필요한가란 주제로 토론을 벌인 적이 있다. 찬성 측 의견으로는 술기운 덕분에 허심탄회한 대화가 가능하고, 팀원 간 교감을 나눌 수 있어 좋다는 내용이 대표적이었으며, 반대 측 의견으로는 참석자들 중에는 가기 싫었던 사람도 있을 것이며, 개인 시간을 회사 사람들과 보낼 이유가 전혀 없다는 의견이 주를 이뤘다. 그 중 반대 의견을 펼친 한 미국인의 말이 유독 가슴에 와 닿았는데, 내용인즉슨 미국은 근무시간에도 상사와 편하게 소통하기에 따로 회식을 할 필요가 없다는 것이었다. 그 말을 듣는 순간 뒤통수를 세게 얻어맞은 기분이었기에 한동안 멍하니 있을 수밖에 없었다.

미국의 몇몇 대학교 연구실에서 근무했던 경험이 있다. 짧게는 2개월 길게는 1년간 생활했었는데, 머무는 동안 단 한 차례도 회식에 대한 불만을 들은 적이 없다. 물론 대학교 연구실이라 일반 직

장과는 조금 다를 수 있겠지만, 전해들은 바로는 회식에 한해서는 일반 직장에서도 별반 다르지 않다고 한다. 그들의 원칙은 단 한가지다. 원하는 사람만 참석하는 것.

그렇다. 회식은 공적인 자리도 아닐 뿐더러 명분에 있어서도 이견이 많다. 때문에 어떠한 경우에도 회식을 업무의 연장으로 둔갑시켜 단 한사람이라도 불편하게 만들어서는 안 된다. 자발적으로 회식에 참여 하고 싶은 구성원들끼리만 즐겁게 어울리면 된다. 팀워크를 해친다느니 분위기를 깬다느니 하는 얼토당토않은 주장을 하며 참석을 원치 않는 사람들을 못살게 굴어선 안 된다. 그럴 자격은 그 누구에게도 없다. 공과 사의 경계는 분명해야 한다.

내부인 단속

대부분의 경우 팀장은 팀 문제는 팀 내에서 해결하자고 말하고, 본부장은 본부 문제는 본부 내에서 해결하자고 말하며, 사장은 회사 문제는 회사 내에서 해결하자고 말한다. 그런데 보통 거의 모든 문제는 그렇게 말하는 팀장, 본부장, 사장에 대한 불만과 직접적으로 연관 되어 있는 경우가 많다. 더욱이 그러한 인사권자들은 십중팔구 주변 사람들에게 공과 사를 철저히 구분해줄 거란 믿음을 주지 못한다. 만약 당신이 올곧은 상사라면, 부하직원들이 어떻게 문제 제기를 하면 될지, 또한 그 이후에는 어떠한 절차를 밟게 되는지 보다 구체적으로 말해 줄 필요가 있다. 그래야 당신의 그 말이 직원들 입막음용이 아닌 상위 결재권자의 실질적인 문제 해결 의지로 받아들여질 수 있다. 단순히 내부에서 우리끼리 해결하자는 말은 최소한의 익명성 보장은커녕 아무 말도 하지 말란 것과 사실상 동일하다.

상위 결재권자가 정말로 문제 해결 의지가 있다면, 상황이 종료될 때까지 어떻게 수평적인 대화를 이끌어 나갈지, 결론은 어떤 방식으로 도출해 낼지를 실질적이고 구체적으로 제시해야 한다. 기껏 신분이 노출되는 것을 각오하고 내부에서 문제를 제기했는데 결재권에 눌려 아무 말도 할 수 없다면 다시는 본인이 속한 조직을 신뢰할 수 없을 것이다.

불필요한 착함 권장

남들이 착하게 살기를 간절히 바라는 사람은 악인일 가능성이 높다(?). 한국의 보통 사람들이 '착함'이란 단어를 보고 가장 먼저 떠올리는 이미지를 '착한 사람'의 기준으로 정의한다면 충분히 그럴 수 있다. 자신의 손해를 감수하고, 타인에게 기회를 양보하며, 타인의 잘못에 관대한 '착한' 사람들이 많을수록 악인들은 정말 편하게 살 수 있을 것이기 때문이다. 그렇기에 그 누구보다 타인의 배려와 희생을 갈구할 것이다. 반면, 착한 사람들은 타인의 '착함'에 대해 그렇게까지 관심이 있을 것 같진 않다.

사회 구성원들에게 어떠한 가치를 권장할 때, 가장 먼저 고려해야 할 사항은 그 가치가 합리적이고 정의로운가 하는 것이다. 치우침이 없는 보편적 개념이어야 하며, 동시에 정의 구현이란 관점에서 볼 때 적어도 악의 승리에 보탬이 되어서는 안 된다.

우리나라에 살면서 "착하게 살자" 또는 이와 유사한 말들을 무척이나 많이 들었던 것 같다. 아마 대부분의 사람들이 초등학교 때부터 그렇게 교육을 받아 왔을 것이다. 물론 착하게 산다는 것은 규정을 준수하고, 약자를 배려하는 등 여러 좋은 의미를 내포하고 있다. 하지만, 동시에 서열에의 순종, 강자의 권위 인정, 타인에게 희생, 물질적 손해 감수, 부당한 처우 감내 등 보편성을 띠기 어렵거나 정의로움이란 측면에서도 의구심을 가질 만한 내용들이 다수 포함되어 있다.

때문에 합리적이고 정의롭게 살자고 해야 한다. 권위주의를 인정하거나, 타인을 위해 손해 보는 것을 권장해서는 안 되며, 학교에서도 그렇게 교육을 시켜야 한다. 한국식 서열에 근거한 권위주의는 비합리적이며, 착한 사람들이 감수한 손해는 결국 고스란히 강자 또는 그것을 가장 필요로 하는 악인에게 이득으로 돌아갈 확률이 높다. 그러니 두리뭉실하게 '착함'이란 단어를 앞세우기 보단 무엇이 합리적이고 사회 정의에 도움이 되는지를 스스로 생각할 수 있도록 아이들을 교육해야 하며 사회에서도 이를 권장해야 한다. 이에 덧붙여 법의 테두리 안에서 자신의 이익을 증가시키기 위해 적극적으로 경쟁하는 것은 지극히 합리적인 행위이며, 타인을 위한 양보와 배려는 개인의 선택임을 분명히 해야 한다. 어떠한 경우에도 이를 왜곡해서는 안 된다.

겸손 강요

겸손은 선택이지 필수가 아니다. 더욱이 남에게 그것을 강요해선 안 된다. 물론 멘토링(mentoring) 차원에서 겸손해야 한다고 조언해 줄 수는 있지만, 마치 당연히 그래야 하는 것처럼 얘기하는 것은 이치에 맞지 않다.

겸손의 사전적 의미는 남을 존중하고 자기를 내세우지 않는 것이다. 여기서 남을 존중해야 하는 것은 필수지만, 자신을 내세우지 않는 것은 전적으로 본인의 선택이다. 타인에게 강요할 만한 성질의 것이 아니다. 축구선수가 인터뷰에서 자신을 최고의 공격수라고 자칭할 수 있고, 가수가 본인이 최고의 발라드 가수라고 주장할 수도 있다. 더욱이 개인 혹은 팀 우승 후에 "이제는 내가 대세다."라고 기쁨의 멘트를 날려도 아무런 문제될 것이 없다.

우리 사회는 마치 '겸손병'에 걸려 있는 것 같다. 우스갯소리로라도 아무도 저렇게 얘기하지 않는다. 대신 자신을 낮추고 남의 공을 치켜세운다. 그리고는 폴더 인사로 깔끔하게 마무리를 한다. 이것이 나쁘다는 것이 아니라 너무나 천편일률적인 패턴이라는 거다. 당당하게 자신의 강점을 얘기하면서 반드시 승리하겠단 얘기를 할 수도 있는 거고, 자신의 실력을 비난하는 사람들에게 되갚는 멘트를 할 수도 있는 건데 보통의 경우 그저 침묵하거나 스스로를 탓한다. 다들 너무나 모범적인 단어와 문구만을 사용한다. 매스컴 등을 비롯한 사회적 압력 때문인지는 모르겠으나 그 정도가 지나치다.

겸손하지 않다고 해서 비난받을 이유는 없다. 당당하게 말해도 된다. 악의적으로 남을 깎아내리는 것만 아니라면 겸손하지 않다고 해서 크게 문제 될 건 없다. 타인에 대해 이러쿵저러쿵 왈가왈부하면서 무조건 겸손해야 한다고 떠드는 것이 오지랖이고 잘못인거지 겸손하지 않다고 해서 건방진 것은 아니다. 그리고 사실 조금 건방질 수도 있는 것 아닌가? 왜 모든 사람이 겸손해야 하는 것인지 도무지 이해할 수 없다. 하고 싶은 말이 있으면 눈치 보지 말고 하면 된다. 타인의 자유를 침해하지 않는 이상 모든 사람에게는 자유를 누릴 권리가 있다.

오해는 없길 바란다.

손님은 왕

손님은 왕이 아니다. 더 이상 철딱서니 없는 소리를 해선 안 된다. 물건을 사고파는 관계일 뿐, 손님이 그 관계 속에서 왕 대접을 받아야 할 하등의 이유가 없다. 마음에 들지 않으면 서비스나 물품을 구매하지 않으면 되는 것이지, 그 상황을 갑을(甲乙) 관계로 해석하여 갑질을 하려고 해서는 안 된다. 갑을 관계도 아닐 뿐더러 갑질은 비신사적인 몰상식한 행위일 뿐이다. 설령 판매자가 서비스 차원에서 손님에게 왕 대접을 해준다고 해도, 손님 스스로가 이를 당연시 하는 것은 비상식적이다.

'직원이 우선, 고객은 그다음(Employee First, Customer Second)'. 이처럼 고객보다 직원을 우선시하는 것이 핵심경쟁력이라고 말하는 회사가 있는데 더욱 놀라운 건 그 회사가 오프라인 매장에서 수많은 고객을 상대해야 하는 푸드마켓이란 점이다. 이 마트는 바로 미국 뉴욕주에 본사를 두고 미 동부에 백여 개의 지점을 갖고 있는 웨그먼스 푸드마켓(Wegmans Food Markets) 이다. 프리미엄 슈퍼마켓인 웨그먼스는 미국 경제지 포춘지가 선정하는 '일하기 좋은 100대 기업'에 매년 상위권에 선정되고 있다.

웨그먼스의 CEO 대니 웨그먼의 경영 마인드는 간단하지만 혁신적이다. 회사에 이익을 가져다주는 소비자들에게 최고의 서비스를 제공하기 위해선, 회사 내의 직원들부터 최고 수준으로 대우해야 한다는 것이다. 실제로 웨그먼스는 업계 평균보다 25% 많은 급여를 주고 있으며, 창립 후 지금까지 정리해고를 단 한 차례도 하지 않았고, 직원들의 전문성 향상을 위해 다양한 교육 프로그램을 지원하고 있다. 더욱 특별한 건, 고객 응대 방식에 있어 매뉴얼 보다는 직원들 스스로의 판단에 따라 행동하도록 독려한다는 것이다. 한국에서도 이 같은 일이 가능할지는 모르겠지만 정말 독특하고 멋진 발상이라는 생각이 든다.

웨그먼스의 경영 철학에 동의하지 않을 순 있다. 하지만, '손님이 왕이다'라는 근거 없는 마인드는 하루속히 버려야 한다. 단지 여러 소비자 중 한 사람일 뿐이다. 상대방이 조금 아쉬울 수 있다는 처지를 악용하여 도리에 맞지 않는 대접을 받으려고 하는 것은 고약한 심보다. 사람 사이의 관계에서는 어떠한 경우에도 서로가 서로를 존중해야 한다.

제6장 부록, 책 구상과 집필을 했던 공간

Starbucks Coffee

심즈베리(Simsbury)에 머무를 당시 집에서 도보 5분 거리에 위치해 있던 스타벅스다. 항상 프라프치노(Frappuccino)를 마시며 커피숍 구석에 앉아 책 내용을 구상하거나 집필을 하곤 했었는데, 지금도 그 때 생각이 많이 난다. 직원들은 손님들의 이름을 일일이 기억하며 반갑게 맞아주었고, 실내 인테리어 또한 그리 화려하진 않았지만 따뜻하고 정감 있는 느낌을 주었다. 그래서인지 언제나 손님들로 북적거렸고, 나 또한 그런 분위기가 좋아 시간이 날 때마다 자주 찾았었다. 미국 커넥티컷주 심즈베리에 방문할 기회가 있는 사람이라면 꼭 한 번 들러보길 바란다. 한국의 커피숍에서는 좀처럼 찾을 수 없는 색다른 매력을 느낄 수 있을 것이다. 한국으로 떠나오기 전 마지막 날 토리라는 이름의 직원이 작별 인사와 함께 프라프치노 한 잔을 선물해 주었는데, 그 친구는 잘 지내고 있을지 문득 생각이 난다.

[Starbucks Coffee @Hopmeadow Rd, Simsbury, CT 06070]

Massacoe State Forest

심즈베리(Simsbury)에 위치한 마사코(Massacoe) 주립 산림공원이다. 집에서부터 대략 50분을 걷고 나서야 도착할 수 있었는데, 당시엔 겨울 분위기가 물씬 풍기는 고즈넉한 풍경이었다. 겁도 없이 물가를 향해 걸어가다 늪지에 빠져 허우적대기도 했었는데, 멋들어진 자연 경관에 취해 더러워진 옷을 입고도 한참을 돌아다녔던 기억이 난다.

비버(beaver)가 만든 커다란 집 위에 올라앉아 각 챕터를 어떻게 구성해야할지 고민했었는데, 문득 책의 마지막 장에 이렇듯 집필에 영감을 준 장소의 사진을 넣으면 어떨까하는 생각이 들었다. 그래서 즉시 스마트폰을 꺼내들었고 카메라 버튼을 눌렀다. 당시 스마트폰을 통해 담아낸 사진을 아래와 같이 공유한다. 여름에는 커다란 연못에 물이 차올라 경치가 더욱 아름답다고 하니 꼭 방문해보길 권유한다.

[Massacoe State Forest @Great Pond Rd, Simsbury, CT 06070]

Barkhamsted Reservoir

한국으로 복귀하기 며칠 전 친구 D○○와 함께 놀러갔던 바크햄스테드(Barkhamsted) 저수지이다. 저수지는 사빌 댐(Saville Dam)을 사이에 두고 맥도나우 호수(Lake Mcdonough)와 맞닿아 있었는데, 아래 사진은 댐 위에서 호수를 바라본 광경이다. 사진 속의 오른편, 먼발치 숲속으로부터 부엉이 울음소리를 들을 수 있었는데, 그 소리가 워낙 우렁찼기에 지금까지도 귓가에 맴도는 듯하다.

호숫가로 내려와 산책로를 걸으며 다음과 같은 생각들을 했다. 21세기가 시작 된지도 벌써 십년이 훌쩍 넘게 지났는데 한국의 서열문화는 왜 사라지지 않는지, 잔존해 있는 또 다른 비합리적인 문화에는 어떤 것들이 있는지 진지하게 자문해 보았다. 쉽사리 결론을 낼 수는 없었지만, 돌아오는 길에는 그에 대한 몇 가지 해답을 얻을 수 있었다.

여름철에는 맥도나우 호수에 사람들이 많이 모인다고 한다. 가족 또는 연인들이 물놀이를 하거나 먹거리를 나누며 즐거운 한 때를 보낸다고 하니, 기회가 닿는 사람들은 꼭 한 번 들러 보길 바란다. 경치는 정말 좋다. 후회하지 않을 거라 확신한다.

[Barkhamsted Reservoir @Saville Dam Rd, Barkhamsted, CT 06063]

Talcott Mountain State Park

탈코트 마운틴(Talcott Mountain) 주립공원에 있는 휴블린 타워(Heublein Tower)에서 내려다 본 광경이다. 하이킹을 통해 타워를 찾아가려고 했기에 구글맵 길찾기 옵션 중 도보를 선택했었는데 그 덕에 대충 한 시간은 돌아간 것 같다. 구글맵이 알려준 장소에 도착해보니 직선거리로는 타워와 그리 멀지 않았지만, 나는 땅 위에 있고 타워는 가파른 산 위에 있었기에 더 이상은 이동할 수가 없었다. 결국 자가운전 옵션으로 재 선택을 하고, 새로운 루트를 따라 한참을 돌아 걸은 후에야 주립공원 입구에 도착할 수 있었다.

휴블린 타워에 다다르기 위해선 입구에서도 한참을 더 올라가야 했기에 걷는 동안 꽤나 많은 생각을 했었다. 한국에 복귀하면 다시금 어떻게 적응해야 할지, 인간관계에 있어 어떤 변화를 주어야 할지 등 적잖은 고민을 했었다. 그러는 와중에 어떻게 살아가야 하는지에 대한 나름의 생각들을 정리할 수 있었고 그 내용을 보완/확장하여 한 챕터에 담았다.

[Talcott Mountain State Park @Simsbury Rd, Bloomfield, CT 06002]

High Hopes Therapeutic Riding

자세 균형 또는 정서적 안정 등에 문제가 있는 사람들에게 승마를 통한 치유 방안을 제공하는 High Hopes Therapeutic Riding 센터다. 사진은 센터 외부의 모습인데 우리 안의 말들이 참 평화로워 보인다. 좀 더 가까이 다가서고 싶었지만 우리 안으로 들어갈 수는 없었기에 그저 멀리서 사진을 찍는 것으로 만족해야 했다. 그런데 문득 단순히 '우리' 라고 부르는 저 울타리가 말들에게는 결국 '굴레'가 아닌가라는 생각이 들었다. 울타리는 외부로 부터 말들을 보호하는 장치가 아니라, 본질적으로는 말들이 외부로 나가지 못하도록 막는 장치이기 때문이다.

농장 주변을 거닐면서, 굴레에 갇혀 있는 말들처럼 한국 사람들의 자유도 딱 그만큼 그렇게 갇혀 있다는 생각을 했다. 서열의 벽 앞에서 아무런 저항도 하지 못한 채, 고분고분하게 움직이며 굽실대는 불쌍한 사람들의 모습이 떠올랐다. 울타리 안의 말들이 스스로 저길 빠져나갈 수 있을지는 모르겠지만, 잃어버린 우리들의 자유는 분명 되찾을 수 있다. 서열의 벽은 아무런 명분 없이 쌓아올려진 허상에 불과하기 때문에 자유와 평등의 가치를 이해하는 사람이라면 누구나 벗어날 수 있다. 자유를 꿈꾸는 모든 노예들이 하루 속히 비합리적인 서열 문화로부터 해방되길 바라며 오늘도 이렇게 또 한 페이지를 써 내려간다.

[High Hopes Therapeutic Riding @Town Woods Rd, Old Lyme, CT 06371]

맞설
당신에게는 V 자유가 있습니까?

마치면서

우리는 스스로가 인지하지 못하는 과거의 어느 순간에 이 땅에 태어났고, 언제 죽을지도 알 수 없다. 일반적으로는 본인 생명의 시작과 끝 어디에도 관여할 수 없으며, 단지 언젠가는 죽는다는 사실만을 알고 있다. 삶을 살아간다는 건 마치 연료 게이지와 착륙 버튼이 없는 비행기를 조종하는 신세와 같다. 언젠가 연료가 바닥이 나면 여지없이 추락할 것이다. 이를 잘 알기에 사는 동안 보다 자유로운 비행을 독려하고자 이 글을 썼다.

그런데 지금 이 순간도 마음이 무겁다. 한국의 서열 문화에 대해 글을 쓴다는 것은 아무것도 변화시킬 수 없으면서 괜스레 긁어 부스럼만 내는 것일 수 있기 때문이다. 주변의 많은 사람들, 가까이는 부모, 형제부터 조금 멀게는 과거 함께 운동하며 친하게 지냈던 형님들까지 본의 아니게 불편하게 만들 수 있다는 것을 잘 알고 있다. 그렇기에 글을 마치면서도 기분을 낼 수가 없다. 속이 시원해야 할 상황에 오히려 가슴 한 구석이 텁텁하기까지 하다.

문제를 해결하기 위해선 핵심을 꿰뚫어야 한다. 본질을 외면한 채 겉핥기식의 임시방편을 쓴다면 아무 것도 해결하지 못하고 돈과 시간만 낭비하게 된다. 한국의 고질적인 병폐들은 대부분 서열 문화와 관련이 있는 경우가 많다. 혈연, 지연, 학연뿐만 아니라 부정부패, 소통 부재, 갑질 행태, 선후배간 구타 등 집단체제 하에서 발생하는 거의 모든 문제들이 서열 식 계층구조에서 발생한다. 이는 분명 어떻게든 손을 써야 하는 문제이며, 그냥 지나칠 수 없는 본질적인 사안이다.

한국식 서열 문화는 분명 자유와 평등이란 보편적 가치에 정면으로 위배된다. 때문에 "내가 너보다 위다." 란 생각은 어떠한 경우에도 합리적인 명분을 가질 수 없다. 설령 누군가의 권위를 인정하고 대접을 해야 하는 경우가 생긴다고 하더라도, 그것은 자발적으로 이루어져야 한다.

인간은 개와 다르다. 서열 관계에서 밀리더라도 타인에게 자신의 배를 뒤집어 보이며 복종을 표시하지 않아도 된다. 나와 타인은 서로 동등한 관계이다. 자신을 낮추고 비굴한 웃음을 지으며 타인의 위상 앞에 굽실거릴 필요 없다. 다 같은 인간이며, 함께 공존해야 할 인격체이기에 서로가 서로를 존중해야 한다.

더 이상 우리나라에서 꼬붕이란 말을 듣고 싶지 않다.